# 日本人は国土でできている

Ohishi Hisakazu
大石久和
Fujii Satoshi
藤井聡

産経セレクト

S-036

# まえがき――藤井聡

もう長い間、「嗚呼、もう日本は滅びるのだ――」とこころに思い浮かばぬ日は一日たりともなかったように思う。

もちろん四六時中そんな絶望感に苛《さいな》まれ意気消沈しているわけではない。当たり前の一社会人として当たり前の暮らしを続けてはいる。むしろ、その絶望的な状況に抗わんと、精力的に一つ一つの日常場面にて身を処していると言えなくもない。

しかし、折に触れて目に耳に入ってくる報道やら、日常の風景での人々の些細《ささい》な立ち居振る舞いや佇《たたず》まいに触れる度に繰り返し繰り返し、そうした想念が胸に去来するのだ。

たとえば日本経済に関わる各種報道に触れれば、一〇年後、二〇年後には今の国民が想像だにしていないような貧困の中に大半の国民が叩き落とされ、三〇年後、四〇年後には、誰もイメージしていないようなアジアの極貧国に凋落していることは確実であるように思えてくる。

連日報道される詐欺や横領、殺人や強姦の記事に触れれば、かつて多くの日本人が当たり前のものとして認識していた公序や良俗は、ものの数十年であらかた消え失せてしまうであろうことはもはや避けられぬ確実な未来であるかのように思えてくる。

そんな公序良俗の崩壊を目にした人々が、まるでパブロフの犬のように〝パワハラ〟だ、〝アカハラ〟だ、〝カスハラ〟だとの通り一遍の〝ポリコレ（ポリティカル・コレクトネス）棒〟を振り回し出す様《さま》を耳に目にする度に、彼らの偽善と欺瞞に対する嘔吐感を抑えきれなくなってしまう。しかもその嘔吐感をもたらす人々は今後、決して消え失せるどころかますます増殖し続けていくに違いなかろうとも思えてくる。

そして本来こうした日本の深刻なる危機に対峙し、それを乗り越える術《すべ》を考え、実行し続けていくべき立場にある我が国の中枢の人々の、そのポリコレ棒をすらロクに使いこなせぬ程に愚かなパブロフの犬以下の能力と志しか持たぬ佇まいを目にする度に、その絶望感がとめどなく肥大化してしまう。

そして何より筆者のその絶望の肥大化を決定的に加速せしめるのは、あらゆる意味においてここまで激しく絶望的な状況に立ち至っているにもかかわらず、その〈真実〉に何ら気づかず頓着せず、あまつさえこちらの解説が耳に入っても理解もできず、理解ができたとしても事態の深刻さに思いを馳せることができず、思いを馳せることができたとしても足掻《あが》く気力さえ起こすことができぬ程に虚無感と無気力に支配された、夥《おびただ》しい数の岸田文雄氏に象徴される現代ニホンジンの存在に触れる全ての刹那だ。彼らに語りかけることはさながら、今まさに大津波に襲われんとしている異国の地で、全く言葉の通じぬ町ゆく人々に彼らを救うべくその津波の危機を伝えんと語りかけ、叫び続けているようなものだ。彼らが動かぬ限り、この「望」は文字通り完璧なるかたちで「絶」たれる。しかしその一方で自分自身は彼らを動かす術を何ら持たないのである。これほど絶望感が極大化する刹那はない。

しかしそんな濃密な絶望が支配する我が国日本において、筆者の大学の先輩である大石久和氏という存在は筆者にとって確かに――個人的な思い故に誠に恐縮な話ではあるが――「希望」であり続けた存在であった。

筆者が感じている絶望的な気分を、筆者がその絶望の存在に気がつく遙か以前から、確かな分析能力と大局観、そして繊細なる美意識と崇高なる倫理感を通して正確に過不足なく理解されてきたことが、大石氏の言説一つ一つからひしひしと伝わってくる。というよりもむしろ、筆者を含めた今を生きる日本人に、その絶望のありかとかたち、そしてそこからの処方箋のかたちを、教示せんとし続けてくれた偉大なる先達、それこそが大石久和氏であった。

大石氏は、筆者が生まれた年に、筆者がその後卒業することになる京都大学土木工学科を卒業された。筆者が二才の頃には既に建設省に入省され、筆者がようやく助手として研究者の卵として基礎研究に勤しんでいた折には既に建設省（現在の国土交通省）の道路局長に着任されていた。

筆者がそんな大学、そして人生の大先輩である大石久和氏とはじめて交流を持ったのは、筆者がスウェーデンに心理学を学びに留学し、帰国してはじめて日本を覆う公共事業不要論の空気を社会心理学的に構造分析した論考『土木逆風世論の真実：「沈黙のらせん理論」による大衆心理分析』を学会誌に寄稿した時であった。国土交通省の技官トップの役職である技監に着任しておられた大石氏がこの原稿を高く評価してくださり、全国の地方整備局、事務所一つ一つにこれを読むべしとのことで配信頂いたのであった。

筆者がその論考を書いたのはまさに、日々加速していく不条理極まりない、何の根拠もない単なる気分や感情の吐露に過ぎぬ「公共事業不要論」が実質的な政治的な力を持ち、日本国民の安寧と幸福のためにあるべき行政を一つ一つ叩き潰し続けていたからであった。かの民主党の「コンクリートから人へ」のスローガンへと繋がる公共事業バッシングの嵐がこの日本列島を我が物顔で蹂躙し続けている様を目にし、筆者は深い絶望感と憤りを感じていた。

しかも筆者がそれをどれだけ語り叫んだとて、さながら異国の地で異国語を叫ぶ人のように、世間では得体の知れぬ言を叫ぶ狂人にしか見られぬ状況が長らく続いていた。そんな中でものした拙稿が、時の政府の技術者の最高位にある人物に高く評価され、あまつさえ全国の事務所に配信いただけたとの話は、駆け出しの若手研究者に過ぎなかった筆者にとってはこの上ない光栄であった。そして筆者は――僭越な物言いで誠に恐縮ではあるが――異国の地でようやく言葉が通じる〝他者〟を見出したような気分となったのである。

すなわち有り体に申し上げるなら、筆者は人生の先達である大石久和氏によって大いに救われたのである。

それ以来、大石氏には様々な文脈でご一緒させて頂く機会が増えていった。

そして、それぞれの機会で、大石氏が政府における長いキャリアの中で培《つちか》ってこられた様々な思いの一つ一つを、時に豊富なデータの裏付けを示して頂きながら、時に豊饒なる教養を語って頂きながら伺った。

大石氏の大きな実践的貢献はもちろん、我が国日本の衰退は（あるいはその逆の発展は）、インフラの維持や拡充があまりにも蔑《ないがし》ろにされているから（あるいはその逆にしっかりと大切にされてきたから）であるという一点を明らかにした点にある。そしてそれと同時に、大石氏の思想的貢献の一つは、国民というものは「国土」によって作り上げられるのだという〈真実〉を明らかにされたところにある。

大石氏はこうした実践的思想、思想的実践の体系を「国土学」と命名され、様々な言論執筆、そして、研究活動を続けてこられた。後輩の筆者もまた、微力ながら大石氏と共に、その国土学の研究言論活動に参画させて頂き、『国土学～国民国家の現象学～』という書籍を大石氏と共に共著出版した。

本書『日本人は国土でできている』は、その国土学に続く、二冊目の共著となる。

本書は、日本の問題を大石氏と様々に語りあった長い対談を一冊の書籍にとりまとめたものだ。

今の日本がいかに絶望的な状況にあるのかを確認しつつ、その原因にはコスパ至上主義やポリコレ至上主義といった軽薄な風潮が現代日本を席巻してしまっていることがあり、そして日本国民を「済《す》くう」べき経済学者達が学者としての真実も矜持も捨て去り忘れ去り、財務省という権力機構の一部品のような存在に成り下がってしまっているという実態があることを語りあった。そしてその上で、財務省が作り上げた虚構に過ぎぬ「緊縮財政」の物語を乗り越え、その財務省とマスメディアが作り上げた「インフラ不要論」という同じく虚構の物語を乗り越え、積極財政と長期的な合理性を見据えた「政府投資」戦略を立案し、それを断行しさえすれば、日本はまたたくまに世界最強の経済大国へと返り咲くことなどいとも容易《たやす》き話なのだということを共に明らかにした。

本書の出発点は確かに暗黒の「絶望」ではある。しかし、その着地点には確かに

「希望」が燦然《さんぜん》と輝いているのだ。

というよりむしろ、その着地点の希望が真の輝きを得るためには、より深い漆黒の絶望から出発することが求められる。望みが「希《まれ》」であるが故に希望なのだ。だからこそその望みが「希」であればあるほどに、すなわち、まさに「絶」たれんとする程にかすかなものであればあるほどに、その希望はその純度を高めるのである。

ついては読者の中に、大石氏と、そして筆者と何らかのかたちでの思いを共有できる可能性を僅かなりとも感ずる方がおられるとするなら、是非とも、本書をじっくりと最後までご一読頂きたいと思う。筆者が若き駆け出し研究者の時に確かに感じたように、大石氏の話の中には、そして、その存在そのものの内には深い絶望のみでなく、その絶望に裏打ちされた確かな「希望」があるのだ。

しかも、その「希望」の根拠は虚構的なるものとはかけ離れたものなのだ。大石氏の言葉、そして大石氏との対話が常に「希望」を宿しうるのは、時代、そして歴史の流れを根底から変えうる力を秘めた「インフラ」の議論が常に、その言葉、議論の基盤に据えられているからなのだ。

確かに、「今のまま」の時代の流れが続く限り、日本は滅び去る他ない。

しかし、「インフラ」を整えれば、時代の流れ、歴史の流れそのものが根底から変わり、我が国の未来には燦然と明るい希望が立ち現れるのだ。

その具体のかたちを世論に指し示すことこそが、本書出版の意義だ。

そもそもその希望を現実の未来として我々日本が手に入れるためには、どれだけ多くの日本国民が、その希望を信ずることができるのかの一点にかかっている。その希望を知る者がさながら異国の街角で危機を訴えんとする一人の異邦人である限り、その希望が実現されることは万に一つもない。しかし、その辻を行き交う人々の多くの耳に、その言葉が届くのなら、その時、歴史は確実に動くことになるのだ。

時代と歴史を規定するのは確かにインフラだ。

しかし、インフラをつくるのは、確かに一人一人の人間の精神なのだ。

本書はそんな構造を見据えつつインフラに長らく関わってきた大石氏と筆者とが、一人一人の日本人の精神を動かさんとするがために世に問う一冊なのだ。

ついては是非とも一人でも多くの国民に、最後までじっくりと、お読み頂きたいと心から強く祈念している。

＊

本書は大石氏からの「藤井君、本を一緒に出さないか」との一本の電話がきっかけであった。今を生きる日本人に大石氏が届けねばならぬ言葉は膨大にある――それをかねがね強く認識していた当方にとって、そのお申し出は誠に光栄なものであった。ついては共著出版にあたって当方をご指名頂いた大石久和氏に、改めて心から感謝の意を表したいと思う。そして本書とりまとめにあたり、企画段階から最後の校正に至るまで終始丁寧にご担当頂いた産経新聞出版の瀬尾友子氏に対して心から深謝の意をいたしたい。そしてもちろん、本書を手に取って頂いた一人一人の読者各位には最大限の感謝を申し上げたいと思う。

本書出版にあたってご尽力頂いた皆様方、本当にありがとうございました。そして、本書にて描写した希望が実現されるその日まで、何卒、よろしくお願い申し上げます。

令和六年六月　京都から博多に向かう新幹線の車中にて

藤井聡

# 日本人は国土でできている◎目次

＊肩書きや数字などは出版時点のものです。

装　丁　神長文夫＋柏田幸子
ＤＴＰ　荒川典久
帯写真提供　産経新聞社

# 序　章　やせ細る日本

## 日本だけが貧困化する

**大石**　日本がこれほどまでに世界から立ち遅れてしまったのは、歴代の総理に問題があったからだと思います。国民の福利向上のために政治や国が存在しているのです。幸福と利益をもたらすのは、経済成長しかありません。

ところが、何が経済を成長させるのかに焦点を当てた議論がまったく行われていません。政治家にも反省がありません。だから恐ろしい勢いで国民の貧困化が進んでいるのです。

これは数字でも明らかです。一九九五（平成七）年の日本人の世帯所得は約六六〇万円だったのが、二〇二二（令和四）年には約五四六万円、この約三〇年で一〇〇万円も下がっています。そのような国はほかにはありません。

日本の名目ＧＤＰ（国内総生産）も、かつて世界の約一八％を占めていたものが、直近では五％程度に低下しています。一九九五年に五二一・六兆円だった名目ＧＤＰは、二〇二二年には五五九・七兆円と極小の伸びしか示しておらず、約三〇年も経つというのにわずか七・三％の増加にとどまっています。

これに対してアメリカの名目ＧＤＰは、これと同じ期間に七兆六四〇〇億ドルから二五兆七四〇〇億ドルへと実に三三七％も伸び、税収も三倍以上に大きく増加しています。日本は世界的な地位がどんどん下がり、ついに名目GDPは人口八五〇〇万人のドイツに抜かれました。逆転されるのは、当然だったと言えます。

**藤井**　そうですね。日本は四〇年以上にわたってGDP世界第二位の経済大国でしたが、二〇一〇年に中国に抜かれ、遂にはドイツにも逆転されて世界第四位にまで転落しました。それもこれもすべて政府の「失策」が原因です。

**大石**　憲法前文には、「国政は、国民の厳粛な信託によるものであつて、その権威は国民に由来し、その権力は国民の代表者がこれを行使し、その福利は国民がこれを享受する」と書かれています。つまり国民が貧困から脱して豊かになることは政治の役割なのです。前文ですから精神規定ではありますが、それができていないということは、政治に大きな責任があると思います。私としてはこの前文を条文に改正して、罰則付きの規定に入れ込みたい思いです。

なぜそのようなことが起きているのか。一つは国民自身が主権者であることをまったくといっていいほど自覚していないからです。加えてメディアの凋落も著しい。ジャニー喜多川性加害問題にしても、今の吉本興業の松本人志氏の女性問題にしても、ろくな報道がありません。中央公論（二〇二三年一一月号）に経済学者の井上智洋氏が、「ジャニーズ問題で問われるマスメディアのあり方」と題して、過ちの背景にあるのはマスメディアの「権力者への横並び的忖度」だと指摘しています。

そのことは選挙制度にも当てはまります。メディアは「世襲はおかしい」などと批判しますが、なぜ世襲が生まれるのか、その仕組みについて何も言及していません。

資金管理団体は団体を解散しない限り、相続税なしで世襲できます。だから自分の倅《せがれ》や、他の誰かにあとを継がせることで、保有している何億円というお金をそっくり受け継ぐことができます。この仕組みを変えないまま、「新しい立派な政治家が生まれない」と批判したところで仕方がありません。だから、政治家の資質に欠けた人間でも、政治家になることができるのです。

**藤井**　ジャニー喜多川性虐待事件について言えば、日本の新聞・テレビが巨大な腐敗によって侵食されているという事実を明らかに示していると思います。事件の主犯はジャニー喜多川であったとしても、マスメディアも共犯というかたちで大きな罪を負っています。にもかかわらず、マスメディアは反省することもなく、頬かむりしながら、第三者の立場で報道しています。本件についての「マスメディアによる重大情報隠蔽」は、明らかになっているだけでも一〇〇〇人に迫る性虐待被害者がでるという極めて深刻な被害をもたらしました。本来ならば、新聞・テレビ各社は近代的法制度によって裁かれなければならないはずです。

## 費用対効果ばかりを優先

**大石**　もう一つの大きなテーマが安全保障です。「安全保障とはミサイルや戦闘機を買うことである」とバカな発言をする総理大臣をわれわれはトップにいただいているわけですから、本当に困ったものです。安全保障をひと言で分かりやすく言えば、国民の安全と、国家、民族の存続のために、社会の各部に埋め込まれた装置や仕組みのことを指します。

つまり、インフラは典型的な安全保障の装置です。安全保障力とは防災安全力のことです。

ところがそのような考えもなしに、インフラをどんどん毀損しています。インフラを強化するうえで、B／C〈ビーバイシー。ベネフィット〈Benefit〉対コスト〈Cost〉〉至上主義になっていて、費用対効果ばかりが重視されています。

かつて国土交通省道路局で三陸沿岸道路（三陸道）の釜石・八戸《はちのへ》間について、費用対効果を調査したところ、たいした交通量は見込めず、費用対効果は低いという結果が出ました。

そんな事情で三陸縦貫自動車道（宮城県仙台市から岩手県宮古市）の整備も後回しにされ、ものすごく遅れました。平成二三（二〇一一）年に東日本大震災が発生したとき、三陸縦貫自動車道の整備が始まってからすでに三〇年も経っていたのですが、まだ五〇％もできていなかったのです。

ちなみに、東日本大震災が発生したとき、まだ五〇％しかできていなかったこの道路でも、大きな力を発揮しました。通常の国道45号が海岸線近くを地形に沿って建設されていたため、津波によって被災したのに対して、三陸縦貫自動車道は海岸から離れた場所にトンネルを掘り、橋を架けて建設されていたため、津波の被害をほとんど受けませんでした。ここを使って救助や救急物資の搬送が行われ、「命の道」と評価されましたね。

その後、これではだめだというので、野党も含めた全党派を挙げて、急ピッチで整備を行いました。暫定二車線ではありますが、やっとのことで令和三（二〇二一）年一二月に仙台市から青森県八戸市まで、三陸沿岸道路（三陸道）全線がつながったのです。

ただし、青森市から八戸市を経て、三陸道を通り、常磐道を使って東京へとつながるネットワーク全体はまだ完成していませんでした。私はそのとき青森・東京間で自動車専用道路を使い、いっさいバックをせずに何通りの行き方ができるかを計算してみたのです。すると三陸道ができて、日本海に沿った沿岸道路が完成したとすると、二〇〇から三〇〇通りしかなかったのが、一万四〇〇〇通りになることがわかりました。

つまり、これは安全保障の面から言えば、北東北と東京の間のどこを攻撃されても、あるいはどこで災害が起こったり大爆発が起こったりしても、まず流れが途切れることはないということを意味しています。

**藤井**　なるほど。まさに道路は安全保障の装置ですね。

**大石**　これは極めて重要なことで、国家が追求すべき目標です。それを政府は目的の中に入れていないわけですよ。採算性の論理で、安全保障を蔑ろにしているのは、鉄道でも同じように起きています。

**藤井**　そうですね。北海道ではどんどん線路を剥《は》がされています。

**大石**　北海道は五〇年前には、四〇〇〇キロメートルのネットワークを持っていました。ところが今では二三〇〇キロですよ。日本より後に国鉄を民営化したドイツにしてもイギリスにしても、鉄道のレール延長は減っていないのです。鉄道自体は国が保有して、旅客会社と貨物会社に貸しているかたちで、信号機やレールのメンテナンスは国の責任で行っています。

しかし、日本の場合は、鉄道のインフラ投資に国費を使うようなかたちにはなっていません。民間事業者はたとえば「JRの区間はJR北海道が管理しなさい」「あなたたちのお金でメンテナンスしなさい」と言われている。ですから、利用者が減ると民間事業者は経営していけなくなるのです。

JR北海道は今の二三〇〇キロの線路さえも維持できないと言っています。実際に、経済性の観点から不要と思われている路線をなくしてしまうと、おそらく今の半分、一二〇〇キロぐらいになってしまいます。

われわれの先輩たちが大正から昭和の時代にかけて、営々とつくったレールを、われわれの世代に採算性という理由だけで剥がしているわけです。

最近ではロシアの脅威が北海道に迫っています。昨年暮れの産経新聞に加地伸行大阪大学名誉教授が「ロシアによる不法なウクライナ侵略は、他人事《ひとごと》ではない。ある日、突如、ロシア軍が北海道に上陸するようなことはない、とだれが断言できようか」（二〇二三年一二月三一日）と書いていました。そのロシアに一番近いレールから日本は剥がしているのです。

## インフラは安全保障のツール

**大石**　沓掛《くつかけ》哲男さん（のち国会議員）が道路局長だった時、私は道路局課長補佐でしたが、中国が高速道路のつくり方を教えてくれと言ってきたことがありました。一九八〇年頃です。それで沓掛さんを先頭に中国に対して、高速道路の設計基準などをどんどん教えたのです。そうしたら中国は自分たちで国中のネットワークをつくり始めました。

たとえば経済が発達した東シナ海側の地域に路線を引くのは分かるのですが、かなり早い段階から、中国は新疆ウイグルにも路線を引く計画をつくっていました。これは交通量だけを見ていたら考えられないことです。彼らがなぜそんな場所に路線を引くのかというと、反乱があったら軍を送るためですよ。

実は新幹線もそうなのです。新幹線も日本が技術を教えて、それを学んで中国がつくり始めました。これもかなり早い段階で、新疆ウイグルの方向に新幹線の路線を引く計画を立てていました。一六両編成があれば、一個師団を送れます。つまり道路や鉄道というのは、彼らにとって安全保障のツールなのです。

**藤井**　鉄道や道路には安全保障の概念が入っているわけですね。かつて日本も最初に鉄道整備をしたときに、東海道本線を通すのとほぼ時を同じくして、敦賀まで鉄道をつなぎました。敦賀から朝鮮、満州へとつながる道を確保したわけです。それが明治時代の国家的感覚だったと思います。しかし戦後日本は、そのような感覚がきれいに蒸発してしまったように見えます。

**大石**　明治政府は東海道本線を中央本線より先に整備しました。そのとき、東海道側に東京・大阪間のルートを敷くべきではないという議論が真剣に行われました。なぜかというと、当時は艦砲射撃の時代ですから、列強が沿岸部に攻撃をしてきたら、東京と大阪・神戸の間は途切れてしまうからです。したがって中央本線を優先すべきだという意見が強くあった。東海道本線が完成したのは明治二二（一八八九）年ですが、

郵便はがき

100-8077

63円切手を
お貼りください

東京都千代田区大手町1-7-2

産経新聞出版　行

| | |
|---|---|
| お名前《フリガナ》 | |
| 性別　男・女 | 年齢　10代 20代 30代 40代 50代 60代 70代 80代以上 |
| ご住所 〒<br>( TEL. ) | |
| ご職業　1.会社員・公務員・団体職員　2.会社役員　3.アルバイト・パート<br>4.農工商自営業　5.自由業　6.主婦　7.学生　8.無職<br>9.その他( ) | |
| ・定期購読新聞<br>・よく読む雑誌 | |
| 読みたい本の著者やテーマがありましたら、お書きください | |

| 書名　日本人は国土でできている |
|---|

このたびは産経新聞出版の出版物をお買い求めいただき、ありがとうございました。今後の参考にするために以下の質問にお答えいただければ幸いです。抽選で図書券をさしあげます。

●本書を何でお知りになりましたか？

□紹介記事や書評を読んで・・・新聞・雑誌・インターネット・テレビ

媒体名(　　　　　　　　　　　　　　　　)

□宣伝を見て・・・新聞・雑誌・弊社出版案内・その他(　　　　)

媒体名(　　　　　　　　　　　　　　　　)

□知人からのすすめで　□店頭で見て

□インターネットなどの書籍検索を通じて

●お買い求めの動機をおきかせください

□著者のファンだから　□作品のジャンルに興味がある

□装丁がよかった　□タイトルがよかった

その他(　　　　　　　　　　　　　　　　)

●購入書店名

●ご意見・ご感想がありましたらお聞かせください

(ご回答いただいたご意見・ご感想は広告等で使用させていただく場合があります。)

明治一九年ぐらいまで、どちらを優先するかという議論を戦わせていました。
東北本線を建設するときも同じです。東北本線は八戸を通っています。しかし、「海に近い八戸側には通すべきではない、もっと内陸に入れろ」と軍が横から口出しして、侃々諤々《かんかんがくがく》の議論がなされたのです。その時代のことを書いた本を、公明党の太田昭宏代表（当時）と一緒に読んだことがあって、当時の議論はすごいな、と二人で語ったことがあります。要するに、先人たちは安全保障を徹底して重視し、いざというときにレールが途切れないように工夫してきたのです。
東海道本線は明治二二年に神戸までつながりましたが、そのわずか二年後には東京から青森まで東北本線がつながっています。ところが新幹線はどうかと言うと、東海道新幹線が東京から新大阪まで開通したのは昭和三九（一九六四）年。東北新幹線が東京から青森まで開通したのは実に四六年後、平成二二（二〇一〇）年ですよ。

**藤井**　そうですねえ。

**大石**　そういう意味で言うと、交通量が多いところから道路をつくるというのではなく、道路をつくってそこに人を住まわせ、工場を誘致するという議論をしたことがないですよね。

**藤井**　戦後はまったくなくなりました。

**大石**　強いて言えば、田中角栄元総理がそれに近いことを言ったくらいです。

**藤井**　「日本列島改造論」はそのイメージでしたね。

**大石**　田中さんは全国新幹線と高速道路をつくれば、どの地域だって繁栄できると言ったわけですが、それっきりで、あとは誰も言っていません。

欧州連合（ＥＵ）のインフラ理論は費用対効果ではなく、ある場所とある場所とをつないだ場合に、全体の経済成長にどれだけ資するかという判断に基づいています。ＥＵは欧州横断輸送ネットワーク（Trans-European Transport Network　ＴＥＮ‐Ｔ）という構想のもとで、デンマークとドイツとを国境を越えて結ぶプロジェクトに取り組んでおり、世界最長の沈埋《ちんまい》トンネル（フェーマルン・ベルトトンネル）の建設を進めています。交通量はそれほど多くありませんが、ＥＵ全体が力を持つためには、ここを結んでおくことが不可欠だと、理論面だけではなく実践をしているのです。

そういった点から言えば、日本は整備そのものだけでなく、整備理念論も非常に遅れています。そして安全保障の考え方も絡んでいません。

## インフラ軽視は日本だけ

藤井　今、大石先生のお話をお伺いしながら、国家あるいは政府としての務めは国民の安寧と幸福であり、同時に身の安全の保障であるということを改めて認識させられました。

国家というものは国民の安寧と幸福のためにつくられたものであり、それを実現するのが政府の仕事です。それに本気で取り組むためには、経済を成長させなければなりません。つまり、自分が持っている資産を最大限に有効に活用し、成長を遂げなければいけない。それによって国民の幸福を満たさなければなりません。そのように考えると、インフラをいかに整備するかという問題があらゆる政府関係者の脳裏に自ずと浮かび上がってくるはずです。

安全保障に関しても、一定以上の軍事費が必要だとするなら結局は、経済成長をしないといけない。その経済成長のために不可欠な国際競争力を高めるために、産業力も向上させなければならない。つまり、生産性も一定程度を確保しなければ、諸外国との競争に敗れ、経済的に侵略されてしまいます。そしてその産業力や生産性、国際競争力を確保するためには効果的なインフラを整備することが絶対的に必要不可欠だということになります。

さらに言うなら、様々なインフラのリダンダンシー（冗長性）も重要です。災害や攻撃によっていろいろなものが破壊されても、ネットワークの代替性や補完性を維持して、アクセスの可能性を保障しておく必要があります。

つまり、軍事的にも経済産業的にも防災的にも安全保障を確保しなければならない。それはインフラ整備抜きにはあり得ないのです。政府が国民の安寧と幸福を真に考え、国家の安全保障を真に願っているのであれば、インフラを無視したり軽視したりすることは絶対、あってはならないはずです。

その証拠に明治政府はたとえば、満州とのアクセス性を高めることも含めて今日の日本政府が必ずしも十分な鉄道投資を進めていない日本海側への鉄道整備を急ぎましたし、ヨーロッパは今、新たなトンネルの建設を含めた様々なインフラ投資を進め、真面目に国民の幸福と安全保障を考えています。

日本がインフラの整備を怠っている現状は、きわめて逆説的です。今の岸田文雄内閣のみならず、戦後日本の政府そのものが本気で国民の幸福や安全保障を守ろうとして来なかった証左だと言えます。同様に、それに対して批判を向けない国民、メディアもまた、政府は真剣に国民の安寧と幸福と安全保障のための政策や政治をやるべきだと思っていない証拠だと言えるでしょう。

インフラ整備をしない代わりに、何かを通して安全保障の強化と国民の幸福を向上するのだというのであれば、弁護する余地があるのかもしれません。けれども、それが何かを考えても、まったく思い浮かびません。今の日本でインフラ投資を行わずして、どんな立派なDXなりGXなりをやろうが、日本人の安寧と幸福を確保することなど絶対に不可能です。だから残念ながらインフラ未整備、インフラ軽視は、政府、国民の政治に対する本気度の低さ、不真面目さを証明していると言えるのです。

**大石**　私はよく外で話していることですが、今のアメリカのバイデン大統領は口を開くたびにインフラ整備の重要性を訴えています。今年（二〇二四年）三月七日の一般教書演説でも、「われわれの超党派インフラ投資法のおかげで、あなた方のコミュニティで四万六〇〇〇件以上の新たなプロジェクトが発表された。道路や橋、港湾や空港、そして公共交通機関の近代化が進んだ」と述べました。

バイデン大統領は、これまでもインフラこそがアメリカを世界最強の経済国にするのだ、中国との競争に打ち勝つためのツールなのだと言っています。特に驚いたのは、ロシアがウクライナに侵略を開始して間もなく行われた二〇二二年三月一日の一般教書演説の中で、インフラについてけっこうな時間を割いていたことです。

ウクライナ支援とロシアの非難だけで一般教書演説を終わらせてもよかったぐらいなのに、「アメリカでインフラを整備し、イノベーションを起こす。インフラはわが国を変貌させ、二一世紀に直面する中国などとの経済競争に勝ち抜く道筋をつける」と、インフラ整備を強調しました。そのことについて「そんなことを言っている暇があるのか」と叩かれたかというと、まったくそのようなことはありませんでした。アメリカのメディアは何の批判もしていないし、共和党側も非難していません。

その背景には、民主党と共和党が共同提案した約一兆ドルのインフラ投資計画がアメリカで動いているからです。共同提案ですから、トランプ氏も大統領時代には「民主・共和両党は、崩壊しつつあるアメリカのインフラの大規模な再建のために団結できる」と言っていました。バイデン大統領も一般教書演説で、「世界で最も強い経済を維持するためには最高のインフラが必要だ」と述べました。

実は、トランプ氏も大統領当時、口を開くたびにインフラの重要性を訴えています。彼は「役人が変な手続きをしているからインフラ整備が遅れているのだ。さっさとやれ」という指示も出しています。また、トランプ以前の大統領も、全員がそろってインフラの重要性を訴えているのですよ。

**藤井**　いわゆるG7と呼ばれる主要先進国において、インフラを軽視している国は一つもありません。残念ながら唯一の例外が日本なのです。

**大石**　私はこの事実に、日本はもっと謙虚であるべきだと思うのですね。なぜ日本だけがインフラを無視しているのか。私の専門である道路の世界で言うと、日本はミッシングリンク（道路が未整備のために、区間が途中で途切れてしまっている状況）だらけです。これを解消しないと二〇二四年問題は解決できません。

**藤井**　物流の二〇二四年問題がさかんに危機感を持って論じられてきました。二〇二四年四月一日以降、トラックドライバーの時間外労働時間の上限が年九六〇時間に制限されました。それによって輸送能力が不足し、物流能力が低下してしまっています。

しかしながら、仮に日本にドイツのようなアウトバーンが存在していれば、一時間で一五〇キロ先のところに物を運ぶことができます。積み降ろしも含めて二時間半あれば一五〇キロ先の都市を往復することができます。一日の労働時間が八時間だとすれば、三回も往復できる。つまり一五〇キロ先の物流業務は一人のドライバーで三セットこなすことができるわけですね。

しかし日本では、都市部で渋滞が発生すると、一五〇キロ先の都市を往復するのに三時間も四時間もかかります。時速四〇キロでしか進めない場合だと、四時間かかります。すると一人のドライバーで運べる物流量は三分の一以下に減少してしまいます。

したがって二〇二四年問題というものを解消するには、高速道路の整備を急ぐという長期的なビジョンが必要です。そういう高性能な道路ネットワークさえ日本が持っていれば、いともたやすく問題を解決できるのに、そのような議論が日本ではまったく行われていません。いかに二〇二四年問題を解消するかということに、真面目に取り組んでいないかという証左です。

**大石**　たとえば、当面は残業問題の解決を図るとしても、その次の段階としては、ネットワークの充実や暫定二車線の解消に取り組まなければなりません。もし分担を鉄道貨物に頼るとするなら、貨物駅と高速道路の連結についても検討する必要がありますが、そういうことが何一つ、議論されていないのです。

## 法学部は責任を果たしていない

**藤井**　日本がインフラの整備に真剣に取り組んでいない構造的な理由には、大きく分ければ二つあると思います。一つは、一般の日本国民が本当に不真面目だからというもの。その日本人の代表である政治家達は口では「国民のためになる政治をやる」と言ってはいるけれども、全くやっていない。これは政治家の不真面目さ、不道徳さを意味していますが、煎じ詰めれば残念ながら、今は民主主義なわけですから、一般の日本人の不真面目さ、不道徳さを反映するものと言えるでしょう。

もう一つの重大な理由は、一般の市井の民とは一線を画さねばならぬはずのインテリたちですら、真面目ではないこと。「日本の国力強化を考えよ」と主張する学者やインテリ、言論人たちが、「インフラを重視しなければならない」と主張するのを聞いたことがありません。

市井の民の不真面目さとインテリ達の不真面目さは、不真面目さの二つの階層に対応していると言えます。それは、「実践における不真面目さ」と「理論における不真面目さ」です。実践するのは実務家、政治家や官僚たち、理論を組み立てるのは学者や言論人、思想家たちですが、双方の不真面目さが絡み合って今日の日本のインフラ未整備状況をもたらしていると言えるでしょう。

ただし、この二つの不真面目さの中でも特に理論における不真面目さは深刻だと思います。実践家がどれだけ真面目でも、理論家が不真面目であれば、国は良くなるところか悪くなる一方となるからです。たとえばマクロ経済を語る人間が、「私はマクロ経済が専門だけれども、インフラのことはわからないから君が論じてくれ」と言ったり、「そんなインフラの話は他の人がやればいい」と言ったりします。これは知的不誠実さを表しています。なぜならマクロ経済はインフラの状態に完全に依存しているのであって、したがって、マクロ経済を真面目に考えようとするなら、インフラを無視するわけに絶対にいかないからです。同じように安全保障を考える専門家も、インフラを絶対に無視できないはずなのです。

当方は仕事がら、いろいろな言論人や学者と話をすることが多いですが、不真面目なインテリたちの罪は大方の人々が想像する以上に途轍《とてつ》もなく重い、と強く感じます。

**大石**　藤井先生は大学の先生として、この問題に対する真剣さが求められると述べておられますが、私もまったく同感です。まず法学部がその役割を果たしていない。

**藤井**　仰る通りですね。法学部の先生は現在の政治の状況について、もっと積極的に意見を述べるべきです。知的誠実性の観点から見ると、その役割を法学部は果たしていないと言わざるを得ませんね。

**大石**　つい最近、東京大学の法学部のホームページを読んでいて、次のようなことが書かれているのに気がついたのですよ。

「(法学部では)法学だけではなく、それと政治学とが対をなすものとして研究され、教育されています。それは、近代社会においては、法と政治は、ともに不可欠であるだけでなく、政治が法を定め、実現し、そして、法が政治を形づくり、導くという意味で、両者は、相互に支えあう関係にあって、分かちがたく結びついているからです」と。

だとすると、法学部は今の政治の状況について、もっと意見を言わなければいけないはずですし、その義務があります。なぜなら、自分たちでそう言っているからです。

現在の政治状況を見れば、選挙制度にしても、候補者の選ばれ方にしても、法学部の立場から何か指摘しなければいけない。ところが、法学部の先生がテレビで話しているのは、自民党のパーティー券問題についてとやかく論評するだけです。東京大学法学部の看板を背負って言うのなら、もう少し深い点を突かなければいけないと思います。

たとえば読売新聞で牧原出《いづる》・東大教授（行政学、日本政治史）が、次のように述べていました。東大法学部卒の先生です。

「首相は長期的な日本の政治のあり方を考え、新たな方向性を打ち出すことが求められます」（読売新聞二〇二四年一月二一日「［語る　新年展望］〈11〉政治不信　国力低下招く…東大教授　牧原出氏」

先生たちは自分たちがどのような役割を果たすべきなのかという認識が不十分です。憲法を変えられてないことが、やはり大きい問題ですけれども。

**藤井**　自らの学問について、「法と政治の循環を見据えた法的実践である」と定義しているわけですからね。法学部においては、自らの仕事と今の状況との間に乖離があるかどうかを常に確認し、絶えず検証し続けなければいけない。もし乖離があれば、それを正すために政治に実践的に関わっていこうとする姿勢が常に求められるはずです。しかしそうした法学者が存在しないというのは、こちらまで恥ずかしくなってしまうほどに知的不誠実な話ですね……。

## サッチャーを見習え

**大石**　たとえば衆議院議員の候補者に二世が多いとか、世襲が多いという議論がありますが、候補者選定の仕組みが今のやり方で本当にいいのかという声を聞いたことがありません。なぜ私がこう申し上げるのかというと、イギリスのサッチャー元首相の自伝を読んだからです。

サッチャーはオックスフォード大学で化学を専攻し、最初はプラスチックの製造をする会社に就職します。しかし、「今のイギリスの経済をなんとかしなければいけない、そのためには自分が政治家にならなければならない」と立候補を決意します。サッチャーは化学専攻の学生だったのに、学生時代から自由主義経済学者のハイエクの本ばかり読んでいたそうです。サッチャーの目には当時のイギリス経済が深刻な病に侵されていると見えたに違いありません。

二四歳のときに立候補したいと言ったら、保守党本部が「この小娘、何を言っている」と、労働党の強い選挙区をあてがわれて、最初は全然、勝つことができませんでした。二六歳で結婚し、翌年に双子の子供が生まれます。「そろそろ保守党の強い選挙区を与えてほしい」と言いに行って、ようやくロンドンの北のフィンチリー選挙区を与えられました。

そこは保守党が強い選挙区というので、他の人たちも次々と手を挙げはじめ、サッチャーも、そのうちの一人になってしまいました。何人の中の一人になったのかというと、なんと三〇〇人の中の一人です。保守党は三〇〇人もの候補者から一人を絞り込むため、お互いを競い合わせることにしました。論文を書かせたり、面接をしたり、最後は講演会を開いてお互いに批判をさせたりしました。その中ですべて一位だったサッチャーが最終的に候補者に選ばれ、三四歳で当選を果たしました。そこからイギリスの大改革サッチャリズムが始まることになったのです。

**藤井**　なるほど。サッチャーはハイエクの夢を実現しようとしたわけですね。

**大石**　そうです。サッチャーは理系の出身ですが、大変な努力をして、保守党から立候補するまでの間に、弁護士資格も取っているのですね。やはり政治家は法律を理解できないとダメですから、そこまでサッチャーは頑張ったわけです。私は、彼女はものすごい努力家だと思いますね。だから、総理大臣の道を歩み始めることができたのです。日本にはそうした試練を課せられた候補者がいるのかと言いたいですね。

**藤井**　自民党の若手の議員たちと話をしていてしばしば感じるのが、実に多くの若手議員達が、政策に対して本格的な興味をもっていないということです。もちろん、例外がないとは言いませんが、そういう残念な気持ちになることが実にしばしばあり、頑張って政治家になったはずなのに、なぜなのだろうかと不思議に思っていましたが、先日、パーティー券問題について若手の議員たちの声を聞いていて、なるほど、と認識しました。要するに彼らは、パーティー券を売りさばくのに長大な時間と大きな労力を割いていて、政策のことについてしっかり考えるどころではなくなっているわけです。イギリスの保守党がサッチャーに課したような政治家になるための試練ではなく、パーティー券を売って財界の人間と懇ろになるために、貴重な時間の大半を使っているのです。

当方は、これこそ今の日本の政治の問題の縮図なのだと感じました。要するに政治に対して不真面目なのです。それゆえに自らの保身と党内地政学で優位な立場に立つという文字通り目先のことだけを目的として、政治家としての巨大な時間と労力を割いている。すなわち、政治に対して真面目に向き合う時間を極限まで減らされているのが、今日の多くの政治家の実態なのです。

二〇二三年末からの自民党パーティー券問題、つまり裏金問題というものに対して国民が怒るとすれば、この点に怒りを向けるべきだと思います。政治資金収支報告書に不記載であるから「法律に違反している」とか「ルール違反だ」と批判しても仕方がありません。政治家が政治に真剣に向き合っていない態度そのものを批判すべきです。誰が捕まるとか、これは安倍派潰しではないかとか、そういうところだけに報道が集中してしまっているのは、単にマスコミの商売のネタとしてこの問題が扱われてしまっているだけのようで、本当に残念な思いがします。

**大石**　そうですね。ネコババ論で終わってしまいますよ。

**藤井**　メディアが毎日、流すニュースの中に二割でも三割でも、政治の何が問題なのかという言説が含まれていれば、国民もそっちの方向に議論を展開するのではないかと思います。政治家たちは何か悪いことをしているはずだ、その悪いことを生む原因は何なのだろうか、という気持ちを持てば、なんとなく政治の腐敗を感じ取ったりするはずです。けれども、その解釈論がメディアの中で語られることなく、単に表面的な法律違反の話だけで終わってしまっている。こういう状況は結局、学者や言論人が怠慢で不真面目だからだと言えるでしょう。

パーティー券問題は司法に委ねておけばいいと私は思います。国民が論ずべきことは、政治の不真面目さやその態度であり、我々はそこに憤りを向けねばならないと思います。それに基づいた議論を通して、腐敗がなくなる仕組みをつくり、政治家の倫理を確立していく方向へ議論を展開しなければならないと思います。

いろいろなところでそう話しているのですが、同調してくれる言論者は限定的で、大きく広がるようには見えません。このままでは日本の政治家は彼らの不真面目さをとことんまで続けるでしょうし、政治は腐りっぱなしのまま放置されることになるでしょうね。誠に残念です。

### ハンデ克服は日本の宿命

**大石**　いったい政治家は選挙区の何を代表して選ばれてきているのかと思います。たとえばアメリカの上院は州の代表ですから、人口には関係なく、各州二名と決まっています。ですから一票の重さで言えば、人口の多いカリフォルニア州の上院議員は、人口の少ないサウスダコタ州の上院議員の五〇分の一ぐらいしかありません。しかし、なぜそれがアメリカで許されているかというと、アメリカは合衆国だから、少なくとも上院では州を代表する人たちが対等な立場で一〇〇人集まればいいという考え方になっているわけです。それから考えると、日本の小選挙区で選ばれた人もそうした一面を持っているはずです。

**藤井**　絶対に持っていると思います。ある程度の「一票の格差」は各地区の代表者であることの重要性を鑑みて許容されるはずです。

**大石**　彼らは「私が選ばれている小選挙区は非常に気象条件が厳しく、大雪が降る。これを克服するためには、いろいろな手段をとらなければならない」という主張をするために、選ばれているのですよ。

**藤井**　「我田引鉄」と呼ばれようが、小選挙区制度の法的理念に基づいて、それは正当化されるべきです。「我田引鉄」というのは、自らの自治体に鉄道を敷くために国会議員が努力をするということです。もちろん国家のことも議論をしないといけませんが、地域のことを議論することもその地域選出の国会議員の大事な責任の一つです。それは賞賛されてしかるべきです。

**大石**　地域の福祉が向上するということは、全体として見れば、国民全体の福祉も向上することですから、これは立派な国会議員の役割です。それを堂々と言えばいいと思うのですよ。

私が若い頃の経験ですが、民社党という政党がありました。委員長を務めた佐々木良作先生は兵庫県豊岡市の隣の町、今の養父市の出身です。私は豊岡に勤務したことがあって、佐々木先生とお会いしたことがあります。

小さなバイパス建設をめぐる地元説明会に佐々木先生が「俺も参加させろ」と言われて出席されたことがありました。その説明会での議論が終わったときに、ちょうど雪が降り始めました。すると先生はそれを見て、「おお、雪が降り始めたか。雪が降る分、この地域には税金をおろさなければいかんな」と言われたことを今も私は覚えています。「豊岡周辺はものすごいハンデを背負った地域だ。ハンデ地域のためにいろんなことを考えなければいかん」と言われたわけです。

先生は東京に戻って、それを声高に主張されたわけではありませんが、豊岡あたりは厳しい住環境のエリアであるということを、そのような表現の仕方で仰った。私が事務所の課長をしていた時代ですから何十年も前の話ですが。その言葉が今も耳にこびりついて離れないのです。先生はハンデ地域を代表している国会議員なのだという意識を強く持っておられた。これは政治家としてものすごく大事な精神だと思うのです。

## 田中角栄の列島改造

**藤井**　その意味で田中角栄元総理は全国の列島を改造し、全国津々浦々のふるさとを守り、国際競争の中で勝ち残る国家をつくるのだと考えていました。一九七二年に発表した『日本列島改造論』で、田中さんは「人口と産業の大都市集中は、繁栄する今日の日本をつくりあげる原動力であった。しかし、この巨大な流れは、同時に、大都会の二間のアパートだけを郷里とする人々を輩出させ、地方から若者の姿を消し、いなかに年寄りと重労働に苦しむ主婦を取り残す結果となった。このような社会から民族の百年を切りひらくエネルギーは生まれない。かくて私は、工業再配置と交通・情報通信の全国的ネットワークの形成をテコにして、人とカネとものの流れを巨大都市から地方に逆流させる〝地方分散〟を推進することにした」と述べて、その行動計画を示しました。

総理大臣として国全体がめざす目標を語ると同時に、新潟県選出の代議士として、地元の発展のために基礎的なインフラや上越新幹線、高速道路を整備することに尽力しました。それは政治家として当然の仕事です。

国会議員同士には、もちろん競争があります。地元に「金の雨を降らせる」と言っても、財源に限りがある以上、そこに競争が生じます。けれども、サッチャーが三〇〇人の中から選ばれたように、競争は金の奪い合いという側面ばかりではなく、いずれの善がより正当性が高いのかという意味においての競争もあります。

それを、われわれは国会議員たちに期待しているのです。金を配ることはすべて悪なのだということではなく、それが善に基づいた行為であれば善なのだということを認識する必要があります。

メディアや言論人たちは、金が絡むとすべてが悪であり、地域に利益を誘導すれば悪ととらえる単純思考です。それが国民世論をつくっていますが、それこそ彼らの知的不誠実性、不真面目さの発露だと思います。

**大石**　そうですね。日本人は、日本の四島を未来永劫、抱えていかなければいけないわけですから、ハンデ地域の発展に力を尽くすのはわれわれの宿命です。東海道だけが繁栄すればいいのだ、ということにはならないのです。四国も、北海道も、九州も、中国地方も、東北地方も、全国並みに発展しなければいけません。

日本は脊梁山脈が国土を分断しています。脊梁山脈の北側と南側が相互に助け合いながら発展していく構造をつくる必要があります。しかし、われわれは、インフラの目標としてそれを掲げたことがあるでしょうか。

**藤井**　日本は国土の真ん中を脊梁山脈が貫いているために、日本海側と太平洋側に分断されています。かつては表日本、裏日本とも言われましたが、これは日本人が背負っている地理的な宿命です。しかしインフラを整備することでこのハンデを乗り越えることができるのです。一〇年、五〇年、一〇〇年、数百年の時間をかけて分断を乗り越えていけば、日本国家全体が一体化します。一体化すれば、共存共栄し、お互いに成長し、発展していくことができます。それを真面目に考えれば、インフラなくして日本海側と太平洋側の連携はあり得ません。

ＩＴでどれだけ繋がったところで、人同士が会わなければ、社会は発展しません。ＡＩの時代であろうが何の時代であろうが、まったく変わらないのです。

**大石**　国土に一〇〇〇～三〇〇〇メートルの高い脊梁山脈が縦貫し、日本海にシベリアからの寒流と対馬暖流がある限り、冬になってシベリアからの寒風が吹きつけると降雪をもたらします。それが山を越えると、乾燥したからっ風になって太平洋側に吹きつけてきます。この山脈の存在が日本列島を雪国と非雪国に分割し、人々の暮らしの条件を規定しています。

冬になると日本海側は毎日、曇天が続き、じめじめとした湿気と豪雪で生活に大変な不便を強いられる一方、太平洋側は晴天が続き、空気が乾燥して、洗濯物も半日で乾くほどです。雪もほとんど積もりません。つまり、日本海側が全部、負担を引き受けてくれているのです。ところが、「だったらそんな不便なところに住まなければいいではないか」と、安易に言ってしまう人がいる。これを次章以降で話していきたいと思います。

# 第一章

# なぜ日本人は劣化しているのか

## 国を破壊する個人主義

**大石**　「だったらそんな不便なところに住まなければいいではないか」と口にする日本人が多くなっている。この問題をどう見ますか。

**藤井**　その問題の背後には、現代日本を作り上げている「近代」における思想上の病理的問題があります。近代を科学的な方法論で述べると、方法論的個人主義ということになります。いわば個人主義です。近代の言説、理論、法体系というものは、実は全て「個人主義」の理念に基づいてできあがっています。それは何かというと、「実体を持っているのは個人という存在だけである。そしてその個人と個人との関係ででききあがっている社会や集団というものには実体はない。それはいわば、幻想的なものにすぎない。あくまで実体や主体なるものは個人にしか宿らないのだ」という考え方です。つまり個人主義は、社会や共同体、地域という集合的なものに一切実体が存在しないと考える考え方なのです。こう考えると、社会や共同体、地域、さらには家族や国家というものを「大切」にしようとは考えなくなる。とにかく、「個人」さえ「大切」に扱っていれば、家族や地域や国家なんてどうなったって構わない、と考えるのです。

その典型が今日の経済学です。今日の主流派経済学は、社会の動きというものは全て「個人の効用関数」で説明できる、という立場をとります。あとはせいぜい「法人」というものを定めて、その制約条件を適当に付けて経済現象を解き明かしたというつもりになっているのが近代経済学です。しかし、実際の経済は社会的風潮や文化、風習、さらには流行や不易にもの凄く左右されるのです。ところが近代の経済学というものは「方法論的個人主義」を採用しているため、そうした社会の状況、共同体の状況なんてものを全てガン無視してしまうわけです。

さらに付け加えれば、最近の法体系も近代法も、方法論的個人主義でできあがっています。以前、スーパーフリー事件というものがありました。早稲田大学などの学生がレイプサークルをつくって、女子大生に酒を飲ませて、組織的にレイプをしたという事件です。この罪は結局、個人の罪として裁かれ、スーパーフリーという組織が裁かれることはありませんでした。オウム真理教の松本智津夫（麻原彰晃）被告の裁判も、すべて個人の罪として裁かれています。一応、破壊活動防止法というものも存在していて、オウム真理教という組織に適用するかどうかが検討されましたが、それはあくまでも例外的なもので、近代の法体系では、罰というものは基本的に九分九厘、個人に対して適用されます。

この「個人主義」の思想が今、日本を覆っています。その結果、地域を大切にとか、家族を大切にとか、国家を大切にという思いそのものが極限にまで衰弱していくことになります。その結果、自分のことばっかり考えて、家族や地元や国のことなんて何も考えなくなり、みな東京に住めばいいではないか、田舎に人が住まなくてもいいではないかという考え方につながります。つまり、個人主義が根本的な原因になっています。

しかし日本社会はかつては「徳川家では」「わが藩では」「わが家では」などとことあるごとに口にしていました。そしてもし、誰かが犯罪をおかしたら、「お家断絶」とか「一族郎党打ち首獄門」というかたちで組織や集団、地域が裁かれました。集団に対して個人と同じ実体を付与し、法的議論のベースにする文化があったわけです。

ところが、日本が急速に近代化する過程で、こうした思想はどんどんなくなっていきました。そして、経済政策や法的議論において、方法論的な「集団主義」の思想はきれいさっぱりなくなってしまった。とはいえ、文化的、社会的な次元においては今でも「わが社では」「わが校では」と言うように、組織や集団を実体化して認識する文化・言語体系、精神構造が残っています。ところが、社会の仕組みやインテリの議論の中から、そうした「集団主義的」な思想が急速に吹っ飛んでしまいました。その結果、日本海側の地域を大切にしようとか、北海道や九州や四国それぞれの自治体を大事にしようという当たり前の議論が、インテリ社会、つまり学界や政界やメディア界や法曹界においてあらかたなくなってしまったわけです。庶民感覚の中にはそういうものを大切にする思いが未だ濃密に残されているにもかかわらず、です。

一方、アメリカやヨーロッパでは全国各地に高速道路をつくったり、人口比に関係なく各州から上院議員を一人ずつ選出したりしています。方法論的個人主義の思想を生み出した欧米でさえ、実際には方法論的集団主義、方法論的組織主義が濃密に残っています。彼らは確かに極限にまで個人主義を追求してはいますが、それと同時に組織や集団を実体化して、これを尊重するという思想をいまだにハッキリと残存させているのです。

ところが、にわか勉強で近代を学んだ日本は、欧米の（方法論的な個人主義を主張しながらも、実際には方法論的な集団主義を濃密に残存させているという）「文化的二枚舌」を理解しないままに近代法を導入してしまいました。その結果、全国各地に高速道路もつくらず、地域の発展や日本全体の繁栄が顧みられない事態に陥ってしまっています。

私はかつて法学部出身の人たちに「方法論的個人主義を超克することが日本の最大の問題ではないか」と申し上げたことがありますが、「その通りだ」と同意してくれる人はほとんど、というか全くおられませんでした。彼らは方法論的個人主義を、太陽が東から昇って西に沈むような自明の摂理のように法体系がつくられていると信じています。私はそうした思想が日本の宿痾《しゆくあ》の根幹にあると思います。均衡ある国土の発展を実現するためには、方法論的個人主義を超克することが極めて重要です。

## 欧州の「公」と日本の「共」

**大石**　過去にいろいろな大災害や事件があったにもかかわらず、なぜ徳川時代が三〇〇年も続いたのか。それは民衆が武力で徳川家に対抗できなかったからではありません。民衆は武家とはまったく画然とした生活を送っていました。民衆は自分たちに武家が干渉しない限り、武家が存在していることに何の不満もなく、徳川体制を受け入れていました。そして、四、五〇〇人の小さな集落の中で起きた問題は、集落の中ですべて解決するというシステムを持って、災害などの困難を乗り切ってきたのです。
そこには、お互いに相手を裏切らないという意味での民主主義が、きちっと存在していたと言えます。私の言い方をしますと、〝顔見知り民主主義〟というようなものです。全員が顔見知りであるがゆえに成り立っていた世界で、「公」というものは特に意識しなくても、共同体の「共」で人々の秩序が成立していたわけです。

**藤井**　仰る通りですね。共という概念は、今日の日本の近代的な個人主義を超克する重要な概念ですね。日本にあるのは欧州のような「公」ではなく「共」なのだと大石先生はこれまでに著書で指摘されてきました。

**大石**　そうですね。ヨーロッパの歴史を見ると、彼らは外敵から自分や家族を守るために都市城壁を造りました。都市城壁が人口増加などの時代の変化とともに拡大したヨーロッパでは、最終的にパリの総延長三四キロにも及ぶティエールの城壁のように大きくなっていきました。そこまで大きくなると、その中で全員が顔見知りということはあり得ません。日本のように「みんなで話し合って、約束を順守する」というわけにはいきません。
狭い区画の中で、大勢の人が共同体生活をするからには、厳格なルールを決めて、それを守るという人だけが城壁の中で暮らすことが認められます。個々が我を張っていては秩序を守ることができません。水の分配から、土地の使い方、道のはりめぐらせ方など、全体の利害に関わる事柄を決めて、それに従うとともに、常にいざというときは、全体の利益（＝公益）を優先せざるを得ませんでした。

もし、城壁からはじきだされてしまえば、命の保証がありません。郊外に散らばって住むしかない農民は別として、領主やそれに従う軍団は最大の攻撃の対象ですから、彼らは城の中にいて籠城戦を戦わなければなりません。

また領主や兵士を支えて商工業などに従事する人々も城内に囲い込んでいないと、武器の補修も病人やけが人の手当てもできない。だから、城壁の中にいなければ、惨殺される危険と同居することになります。

さらに城の一部が打ち破られると、それは全員の死を意味します。したがって城壁内に住む者はみずから分担箇所の防御責任を負うと共に、その立場よりも一段と高い視野から、防御の弱点に気を配る必要もありました。さらに彼らは、攻防戦全体を見渡す上級の者から、敵に対して対抗したり、味方の弱所を応援したりするための指揮に従うことを義務付けられました。

城壁の中では一人の命令違反が全員の命に関わりかねません。大所からの物見に優れている点を持っていること、系統的な指揮命令を徹底的に追求すること、違反に対する罰則に厳格性を持つことが極めて重要な要素になります。したがって彼らは絶対権力への絶対服従と、都市に暮らすための必然としてのルールの作成、その受容という歴史を何百年も培ってきたのです。

つまりヨーロッパには「公」という概念が存在しました。「公的目的を優先することで、私的なものが認められる」という考え方で、私益の一部が制限されました。自分の土地といえども自由に使うことはできず、その制約を受け入れなければ、城壁の中に住む権利を得ることをできなくされました。

城壁を一度も必要としなかったわれわれとの間には、都市の構成員であるために持つべき義務と権利、公益と私益の概念について、想像を絶する隔たりがあります。それが、ヨーロッパと日本との違いだと思います。

日本人も、江戸時代までは公共性や民主主義というものを持っていました。ところが、地租の導入で所有観の革命が起きてしまい、税の納入責任者としての土地所有者の確定が行われました。そのとき、それまで持っていた土地所有の持つ公共性がいっさい失われてしまったのです。

**藤井**　確かに日本の場合、「公」よりも「共」によって一人ひとりの行動を律していた側面が強かったと思います。今でも世間体を気にする日本人の性質を考えれば、日本人の精神の中に「共」を大事にしてきたという伝統文化はまだ残存しています。「共」がなぜ成立していたかというと、村という共同体についての実体化が、日本人にある程度、存在していたからです。方法論的集団主義という思想が日本人に濃密にあったために、その思想的バックグラウンドから、「わが村の秩序」や「わが村の掟」というものが存在していました。「共」が機能していたわけです。

しかし最近、たとえば葬儀の数が少なくなり、葬儀自体も非常に簡素化しています。かつて葬儀というと、その家における最も重要なセレモニーの一つでした。それが簡素化されてしまっているのは、家という古臭い概念はもう不要だということなのでしょう。家というものを実体化する方法論的集団主義というものが希釈化したため、葬儀がなくなってきていると言えるでしょう。

逆に個人主義はどんどん拡大しています。もともと「公」というものの機能が弱かった日本で、「共」の意識すらなくなってしまったら、ミーイズム（自己中心主義）むき出しの私人しか残りません。そうなると、政治もへったくれもありません。人というものは倫理的な要素があって初めて人たり得るわけです。しかし、日本人に「公」の倫理も、「共」の倫理もなくなれば、ただの不道徳な俗物でしかなくなります。これは大衆社会論では「大衆」と言います。ニーチェは「末人」と呼んで、人間の最終的なおぞましい姿として描いています。

そうなってしまうと、どこに連れていってもまともな仕事はできません。政治家になったとしても自分のパーティー券を売ることしか考えず、法学者になっても自分の学者としての地位が守られるだけの研究しかやらず、言論人になっても日本国家のことなど念頭になく、自分がどれだけテレビに出られるかしか考えない、ミーイズムの極限のような状況が起きるのです。この不真面目さの根底には、方法論的個人主義への過剰な信頼、方法論的集団主義の過剰な喪失が横たわっていると思いますね。

## 日本人は思想を失った

**大石**　その点に関して言いますと、憲法をつくった連合国軍最高司令官総司令部（GHQ）は日本を占領する二年も前から、日本とは何なのかを考えてきました。日本人は個を殺して集団として力を発揮してきた民族です。日本人は個人主義ではなく、皆とともに立っているという「共」を発見した存在です。

しかし、憲法一三条には「すべて国民は、個人として尊重される」と書かれていま す。「家族の一員として」だとか、「地域の一員として」といった文言は一言もありま せん。憲法一三条に注目している人はほとんどいませんが、私はいろいろな国の憲法を読んで驚きました。このような条文が入っている国は、ほかにはありません。つまりこれは、日本人の否定ともいうべき条文です。

昨年（二〇二三年）一一月一九日付の産経新聞に、帝京科学大学の小堀馨子《けいこ》准教授が民主主義についてこう書いていました。「現代の日本人は憲法と民主主義さえあれば良い国になると信じている節があるように見える。しかし（中略）民主主義の思想自体に精神的基盤があるわけではない。古代から現代に至るまで、国の精神的基盤が、その国の宗教文化伝統に全く根差していない例はないと言っても過言ではない」と。国の精神的基盤が根差していない民主主義などあり得ません。間違いなく私たち日本人は、宗教的な裏付けのある江戸時代の民主主義を持っていました。つまり「南無阿弥陀仏」です。

法然上人と農民との間で、次のような問答がありました。

ある農家の人が「私たちは農業に忙しく、朝から晩まで畑を耕しています。仏様にお参りする時間もありません。われわれは成仏できないのでしょうか」と聞くと、法然上人は「そうではありません。あなたがひと鍬ひと鍬、大地に手を入れていること自体が念仏となって仏への祈りにつながっているのです」と答えました。それで、安心して農夫は農業に勤しむことができました。

**藤井**　それはまさに仏教哲学者の鈴木大拙《だいせつ》が論じた『日本的霊性』（岩波文庫）の根幹をなす思想ですね。

**大石**　そのような宗教的な基盤が日本人にはあったのですね。だからお天道様に恥ずかしくない行為をしていれば、必ず最後は阿弥陀さんが極楽に導いてくれるのだと安心して生きることができました。ところがそういう思想を、われわれはすっかり忘れています。

**藤井**　「保守」というものをシンプルに述べると、「人間というものは過去からやってくる。過去の歴史や伝統、風習・文化をなくしてしまえば、人間は瞬く間に畜生に堕してしまう。ゆえに幾分かの懐疑の念を持つことはやぶさかではないにしても、過去からやってきた伝統や文化を大切にする精神を忘れてはならない」ということだと思います。

これは保守思想と呼ばれますが、その精神が本当に蔑ろにされています。ゆえに、日本人が私人化してしまい、仏教でいうところの畜生道に入ってしまっているかのようです。

私は自分の人生を設計するにあたって、公人として、大学で教える人間として、保守思想誌『表現者クライテリオン』（啓文社書房）の編集長・執筆者として、さまざまな理論を考えて、それを公共的に論じていこうと考えました。一方、私人としては可能な限り先人から引き継がれてきた伝統や文化を、多少は懐疑の念を持ちつつも、保守していこうと考えています。

大学の研究室の運営においても、「研究室は家族だ」という考えのもとで、学生たちを自分の子供のように思い育てるべしと常々考えています。優しく教えることもあれば、ときには厳しく接することもあります。しかし、最後まで見捨てることなどありません。

家族や親族は、日本の倫理や道徳を育んだ最も重要な機構だと考えています。お墓参りや冠婚葬祭、法事、お正月の親戚の集まりなどは、意図して大切にしています。私が子供だった頃、大人たちはみんなそういう伝統や道徳を大切にしていました。

ところが最近は、「簡単にやればいいよ」「全部、買い物で済ませればいいよ」「お雑煮は嫌いだから、つくらなくていいよ」といったように、家庭教育も日本の伝統も受け継ごうとしていません。倫理・道徳の根幹は、家族の中で親から子へ、あるいは職場の中で上司から部下へと引き継がれていくものです。しかし、そうした伝達が今や機能不全に陥っています。これでは言論人たちがどれだけ立派なことを語ったとしても、この国は瞬く間に全体が腐敗して朽ち果て、遂には滅亡してしまいます。

私は自分の身の回りの、極めて限定的な範囲であっても、伝統継承行為を揺るがせにしないでおこうと強く念じています。ぜひ多くの日本国民にもそれに賛同していただけたらと思うのです。

**大石**　たとえば、そうしたことは日本の繁華街にも現れているように思えます。浅草の雷門周辺はそれほどひどくはありませんが、一歩、路地裏に入ると道路はごみだらけ。渋谷に行くと、もはや道路全体がごみ箱という感じです。

**藤井**　かつてはそのようなことはありませんでしたね。

**大石**　誰かがごみを拾っていましたよ。だから日本の街は美しい、きれいだ、ごみが落ちていないと言われていました。しかし、今ではもうそんなことはありません。

**藤井**　私は中学生のときに、私が大切にしようと思っていた友人がごみを捨てようとしたときに、「コラッ！」と怒ったことがあったことをよく覚えています。「変わっているな、この人は」と思われたようですが（苦笑）、倫理の出発点はまず、ごみを捨てないということです。

**大石**　そうですよ。自分で出したごみは自分が処理する。個人としては、すべての行動が完結していることが非常に大事です。今やそういう精神がまるでなくなってしまいました。ＮＨＫに『世界ふれあい街歩き』という番組がありますね。世界のいろいろな街を歩いて、地元の人との会話を楽しんだり、ときには「うちの庭を見ていってもいいわよ」と言われて家に入ったりします。たとえばベルリンやパリだったら、それなりにきれいでごみは落ちていませんが、驚くことに南米の街でも、ほとんどごみが落ちていないのです。今や日本はごみだらけ。すでに日本は負けているのです。

　すなわち、日本という国は、いまやどこもここもおかしいところだらけなのです。どこから手をつけていいのかわからないほどの乱雑なゴミ散乱屋敷状態を呈している。

## 戦後政治の結果

**藤井**　福沢諭吉が人間の徳には公と私の別があり、それぞれが大切であるが、教育の中では「私徳」ばかりが教育され、「公徳」がついつい蔑ろにされるのは大きな問題だと論じている。徳においては特に重要なのがむしろ「公徳」であって、決して「私徳」ではないと福沢は言っています。

私は若い頃にこれを読んで、まさにその通りだ、国家にとっての「公徳」をしっかりと語れる人間にならなければならないと思いました。ただしもちろん、だからといって「私徳」が蔑ろにされていいわけではありませんが。

**大石**　つまり民度が貧困化しているのだと思います。民度が著しく低下しているので、たとえば、あまり話題にもしたくないことですが、最近は梅毒がものすごく増えていますよね。

**藤井**　そうらしいですね……。

**大石**　G7の中でも日本の増え方が一番著しい。

**藤井**　梅毒はすでに撲滅された病気かと思っていました。

**大石**　昔と違って抗生物質がありますからね。とはいえ、いつ耐性菌が出てくるかわからない。そう考えると、問題を揺るがせにできません。何よりも梅毒が蔓延するという現象はなぜ起こるのか、よく考えなければいけません。実は日本は大変なことになっていると思います。

こうした原因は、やはり戦後政治の結果なのだと思います。歴代の総理を見てみると、あの鼻っ柱の強かった橋本龍太郎さんが、小泉純一郎さんと総裁選を争って負けたときに、次のような反省の弁を述べていました。「私は平成九年から一〇年にかけて緊縮財政をやり、国民に迷惑をかけた」と。

**藤井**　有名なご発言ですね。

**大石**　財政をきりつめたために、「私の友人も自殺した。本当に国民に申し訳なかった。これを深くおわびしたい」と言ったわけです。この話をたびたび紹介しているのが、産経新聞特別記者の田村秀男さんです。田村さんは「橋本元首相は財務官僚の言いなりになったことを亡くなる間際まで悔いていた」と言っています。

負けん気が強くて、人前で反省などするような人には見えない橋本さんが、恥も外聞もなく猛烈に反省をしていたのです。それを、その後の総理大臣が引き継いでいないのはいったい、なぜなのでしょうか。

**藤井**　やはり総理の「徳」の問題だと思いますね。「公徳」としてはもちろん、「私徳」としても恥ずかしい話です。非常に残念です。

総理大臣は「公徳」を具現化すべき最高の位にある人です。総理に「公徳」さえあれば、橋本さんの反省は、引き継がざるを得ないはずです。まさしく「公徳」の喪失です。

**大石**　平成以降の総理大臣の顔ぶれを見ると、ごく短期で終わった宇野宗佑さんは別にして、海部俊樹、宮沢喜一、細川護煕、羽田孜、村山富市、橋本龍太郎と続き、小渕恵三、森喜朗、小泉純一郎となります。小泉さんの時代が長く続いて、第一次安倍晋三内閣、それから福田康夫、麻生太郎、鳩山由紀夫、菅直人、野田佳彦、安倍晋三、菅義偉の各内閣を経て、今日の岸田文雄内閣に至っています。今、歴代の総理の名前を挙げた中で、私はこの問題に取り組み、それを成し遂げるために総理大臣になったと自覚的に語った人は何人いるだろうかと考えると、ほとんどいないのではないでしょうか。

**藤井**　安倍総理は、一度目の安倍政権のときに「戦後レジームからの脱却」と仰っていましたが、実現できませんでした。二回目の安倍政権のときには「日本を取り戻す」と言われました。さらに「デフレからの脱却」を主張されたにもかかわらず、消費税を二度も上げてしまいました。財務省の圧力を止める力がなかったはずはないと思うのですが、結局、目的を達成できませんでしたね。

**大石**　安倍総理が目指していたことは確かにあったと思います。しかし、その力をもってしても、なかなかうまくいかなかった。

少し古い話になりますが、一九五七（昭和三二）年に就任した岸信介総理は、日米安全保障条約が極めて不平等だったため、対等性のある条約に変えなければならないと考えていました。これに対して野党は猛反発しましたが、岸総理は信念をもって平等性の回復に挑みました。

その後を継いだ池田勇人総理（一九六〇年就任）は所得倍増計画に取り組みました。「とにかく国民を豊かにすることこそが大事なのだ」と、国民総生産を一〇年間で二倍以上、国民の生活水準を欧米先進国並みに到達させる経済成長目標を掲げて、戦後日本の高度経済成長を推進しました。

次の佐藤栄作総理（一九六四年就任）は、「沖縄が戻らずに日本の戦後は終わらない」と主張して、沖縄返還を実現しました。返還に際してはアメリカとの間で、緊急時の在日米軍基地への核兵器の持ち込みを認めるという密約があったと言われています。しかし、そう言うのであれば、安保条約自体が密約の塊みたいなものです。

そして、田中角栄総理（一九七二年就任）です。田中さんは自分がやりたいことを明確に持っていた人でした。新潟県出身で、豪雪地帯というハンデを乗り越えるために、地域格差を是正し、人やモノの東京への集中を各地に分散させる日本列島改造を訴えました。

# 第二章　悪の栄える国

## 始まりは消費税導入

**大石**　田中内閣が倒れた後には、三木武夫、福田赳夫、大平正芳、鈴木善幸、中曽根康弘、竹下登の各内閣が続きました。そこに新たに消費税の問題が入ってきました。ここからですよ、日本が完全におかしくなったのは。

私は財務省の官僚たちとの付き合いが長くて、彼らといろいろ折衝をやりました。それまでは財務省の官僚たちも、「なんとか日本を良くしなければならない。どうすればいいのか」と考えていました。私の場合は、それはインフラの整備でした。インフラを通じて日本を良くするためにはどういう手順で、何から手をつけ、どういう採択基準でやればいいのか真剣に考えていました。

ところが消費税の導入によって一気に財務官僚の思考がおかしくなったと思います。ご存じの通り、消費税は低所得者にとって一番厳しいものです。一九八九（平成元）年に導入された消費税の税率は現在、一〇％になっています。イギリスの消費税すなわち付加価値税は二〇％です。しかし食料品への課税はゼロです。子供用衣料、女性用衛生用品もゼロです。つまり、生活に必須のものはほとんど税を取りません。ドイツは付加価値税が一九％ですが、食料品は七％です。ところが日本では税率が一〇％

と八％です。このようなことが、どれだけ国民に知らされているのかということです。
消費税を導入せざるを得なくなった元凶は、財政の悪化です。国債の発行は極力抑えなければならないというところからすべて始まり、国民の貧困化がどんどん進んでいきました。しかし、これを打ち破るような国の政治ができておりません。

**藤井**　そうですね。田中角栄内閣までは、日米安保改定であったり、所得倍増や沖縄返還であったりと、日本の働きかける対象が外部に存在していました。しかし今の日本は、財務省をどのように政治的に制御していくかが最大の課題になっています。残念ながら、これは政策としてなかなか掲げにくいものです。

かつて田中真紀子外務大臣が「外務省は伏魔殿だ、外務省の改革が必要だ」と言ったり、行政改革を掲げていた小泉純一郎総理が官僚を「敵」にまわしてもいい、どんどんやれと言ったりしたことがありました。民主党政権が誕生したときも、官僚を「敵」に回して徹底的に叩くということをした。事業仕分けはその典型ですね。しかし、その民主党ですら、財務省を敵に設定して叩くということはできなかった。というのも皮肉にも事業仕分けを事実上仕切っていたのはその当の財務省だったのです。つまり、財務省は官僚を叩く民主党を上手く使い、背後で政権を上手にコントロールしながら、財務省以外の省庁を叩き、まんまと財務省の権限を極限にまで高めるという戦略を成功させたわけです。つまりこれまでの戦後の歴史の中で、財務省以外の省庁に対してはそれなりに「政治主導」を実現できることはあったわけですが、「財務省」に対しては一切成功してこなかったわけです。それほどまでに財務省自体を適正化し、改善していくということは、政治において極めて難しい問題だったのです。結果、財務省の適正化という課題が、政権与党において政治課題として成立することは今まで一度もなかったわけです。

戦後、日本の政治は経済におけるアメリカの圧力といった「外部の敵」と闘うということは、政治課題としてしばしば認識されることはあったのですが、財務省という内部の組織と闘うということは、自分の体の中にあるガンと闘っているようなものですから、全く異なる闘い方が必要になる。いわば自分自身の臓器に得体の知れない「緊縮財政」という病原体が憑依《ひょうい》し、それによってその臓器が腐敗してしまい、全く取り除けなくなってしまい、結果、死に至る病状に陥っている。今の日本の最大の政治課題は、この悪魔が取りついたような状態（ポゼッション）をどう治すかということだと思います。

## 元凶は財務省

**大石**　やはり元凶は財務省だと思います。会社で言うと、経理部が力を持ち過ぎていて、経営企画部を冒しているというようなものです。

本来、経営者は、会社の発展のために経営企画部や技術開発部を頑張らせなければいけません。経済成長が目標だとすると、そのために何をどうやればいいのか、順番に組み立てなければいけません。これに逆らう者は許してはいけないのです。

**藤井**　その通りです。ところが、それができない。社長が代わっても、特定のセクションが、ありとあらゆる外堀を埋めていて、社長一人では何もできない状況をつくり上げています。

こういうことは往々にして各省庁においても生じ得る。これは噂ですのでしっかりとした検証が必要ですが、たとえば霞が関の文化庁では、政治家側がまったく官僚の言いなりになっているともささやかれています。文化庁では新しい長官が来ても官僚たちは長官に何もさせないし、ものも言わせない、官僚たちが決めている通りに従わせようとする圧力が強烈にあると言われています。彼らは頑なに官僚主導を守っています。その実態は詳しくわかっていないのですが、それと似たことが国家レベルで、財務省によって進められているわけです。

安倍晋三元総理の『安倍晋三　回顧録』（中央公論新社）を読むと、財務省に対する不満や、財務省を相当に恐れていたということが読み取れるカ所が何十カ所も出てきます。たとえば、このようなくだりがあります。

「財務省の発信があまりにも強くて、多くの人が勘違いしていますが、様々なコロナ対策のために国債を発行しても、孫や子に借金を回しているわけではありません。日本銀行が国債を全部買い取っているのです。日本銀行は国の子会社のような存在ですから、問題ないのです」「国債発行によって起こり得る懸念として、ハイパーインフレや円の暴落が言われますが、現実に両方とも起こっていないでしょう。インフレどころか、日本はなおデフレ圧力に苦しんでいるんですよ。財務省の説明は破綻しているのです」（『安倍晋三　回顧録』）

あるいはまた、安倍総理が増税見送りを表明する直前に、財務官僚が政府専用機に麻生太郎副総理兼財務相を同乗させて安倍総理を説得させたり、谷垣禎一幹事長を担いで安倍政権批判を展開させて、総理の座から引きずり降ろそうと画策したりしたことを挙げて、「彼らは省益のためなら政権を倒すことも辞さない」（『安倍晋三　回顧録』）と述べています。

彼らはいざとなると倒閣運動を起こします。財務省は今の内閣が気に入らなければ、その内閣を潰して、自分で育てた政治家を次の総理大臣にするように差配するわけです。安倍さんはこの件について次のような言葉を残しています。

「財務省の幹部は、参院のドンと言われた青木幹雄元参院幹事長や、公明党の支持母体である創価学会幹部のもとを頻繁に訪れて、安倍政権の先行きを話し合っていたようです。そして内閣支持率が落ちると、財務官僚は、自分たちが主導する新政権の準備を始めるわけです。…増税先送りの判断は、必ず選挙とセットだったのです。そうでなければ、倒されていたかもしれません」「財務省は外局に、国会議員の脱税などを強制調査することができる国税庁という組織も持っている。さらに、自民党内にも、野田毅税制調査会長を中心とした財政再建派が一定程度いました。野田さんは講演で、

『断固として予定通り（増税を）やらなければいけない』と言っていました」

「回顧録」で安倍元総理は、そのような手ごわい勢力と戦わなければならないことを、手を代え品を代えて、繰り返し語られています。私自身もその中で、安倍総理の側に立って当事者として戦っていましたが、全然、「勝つ」ことができませんでした。

私としては、安倍総理がもう少し長生きしておられたのなら、もう少しのところで「勝てた」のではないかと思っています。安倍さんはまさに死の直前、あの参議院選挙時に、明確にその決意を持っておられたからです。もちろん、今となってはそれを検証する手立てはないのですが……。

**大石**　多くの政治家が、安倍総理の考え方や情熱に共感しなければいけなかったと思いますね。数は力なりという言葉があります。自由民主党の中でいうと税制調査会に所属する政治家たちが、財政支出の抑制や増税に対してきちんと反対の声を上げて、その数を増やす必要があったと思います。それができないというのは、日本の政治家たちが怠慢だからです。

**藤井**　安倍さんが亡くなる直前の頃、反緊縮・積極財政派が安倍派を中心に、党を二分するまでに大きくなったと私は感じていました。これは大きな進歩だなと思い、これから日本の政治は変わるかもしれないと期待をしていましたが、残念ながら安倍さんは凶弾に倒れてしまいました。それのみならず、安倍派と二階派が検察の捜査で弱体化され、挙げ句に解散に追い込まれました。そこにはさまざまな理由はあるのでしょうが、裏には財務省がいるのではないかとまことしやかに語られているのも事実です。

だからといって財務省を恐れていては、元の木阿弥です。少し考えてみれば、積極財政がいかに重要であるかがわかるはずです。安倍さんがいなくても、日本のために真面目に政治を行うのであれば、積極財政政策をとるべきです。安全保障と、国民の安寧・安泰のための適切なワイズスペンディング（賢い歳出）を行うべきです。

積極財政への流れは安倍さんのもとでかなり拡大していきましたが、安倍さんが亡くなった後は、残念ながら、その勢力が拡大しているとは言えない状況にある……。それを一番、喜んでいるのが、財務省や宏池会系の人たちなのです。

**大石**　政治は国民貧困化の原因である緊縮財政をいまだに掲げて、さらなる歳出削減に励んでいます。消費税増税や各種保険料の引き上げにばかり精を出しているありさまでです。
富岡幸雄・中央大学名誉教授は著書（『消費税が国を滅ぼす』文春新書）で消費税導入からの三一年間で累計三九七兆円の消費税収があったとし、その同じ期間に法人税を二九八兆円も減税していると分析しています。法人税も福祉財源に回っているのですから、もはや消費税は福祉財源だから減税できないという論理は成立しない。そして何より問題なのは、減税を政策目的に利用してこなかったことです。地方に本社を移転したとか、思い切り充実した子育て支援をした企業には大きく減税するといった国策に沿う政策手段として減税を使わず、ただ法人税を下げただけという情けない話なのです。

国民に対して貧困化の責任を取るべき主体は政治家です。国民から選ばれていて、彼らは自分を選んでくれと手を挙げているわけですからね。

**藤井**　これでは国民は調子のいいプロポーズに騙されたようなものですよ。「あなたがプロポーズして、私を幸せにすると言ったのに、なぜ浮気をして遊び回っているのよ！」というような状態ですね……。政治家は国民に「あなたたちを幸せにします」と言ったのだから、その責任は取ってもらわないと困ります。

## 「悪人の栄える国」

**大石**　今の政治は、パーティー券が問題なのではなくて、政治が国民に責任を取っていないことが問題なのです。そこに焦点を当てた議論にならなければいけないのに、まったく議論されていません。このようなことになるのなら、なぜ政党助成金をつくったのでしょうか。

日本の国政政治家の歳費、つまり国民負担は世界でも最高レベルにあると言われています。一九九四（平成六）年の選挙制度改正にあわせて、「国民もコーヒー一杯分くらいは政治にお金を出すべきだ」といった議論がありました。その議論を経て、今や政党に年間三〇〇億円を超える政党助成金が出ています。共産党は受け取り拒否をしていますが。

政党助成金を出しているのに国民に福利をもたらすことができない。そうなのであれば、今の政治はぼったくり以上だと批判されても反論できません。

**藤井**　そもそも裏金問題が起こらないように、政党助成金がつくられたわけですからね。

**大石**　たとえば旧自由党などが解党したとき、蓄積された政党助成金はどこに行ったか。大部分が小沢一郎さんの関係先に合法的に入っているのです。政党助成金は政治活動の自由を保障するためのもので、対象とする人は誰なのかは問わないことになっています。これもおかしい話です。三〇〇億円もの国民の税金を投入しているのですから。

**藤井**　公的な活動に投入されるのなら構いません。しかし、私的な活動に当てられては困りますよ。

**大石**　政党が潰れるたびに、政党助成金が小沢さんの関係先に繰り入れされてきたのです。パーティー券問題どころではありません。

**藤井**　検察はそこにメスを入れるつもりはないのですか。

**大石**　これは法的には違反にならないのです。

**藤井**　検察の問題ではないとなると、法的問題とは別に、道義的な問題が生じます。日本人はそれを知っておく必要があります。私はパーティー券問題を、法的問題と道義的問題に分けて、いろいろなところで書いたり論じたりしています。

昨今、この道義的問題について、ちんぷんかんぷんという人が増えたように思います。つまりコンプライアンスさえ守られていれば、それでいいではないかという言説がこの一〇年ほど、ひどく目立つようになりました。法律に違反さえしなければ悪くないとでも思っているのでしょうか。

もし皆がそんな風に考えているのだとすれば日本は「悪人の栄える国」となります。政治家は悪いことをし放題になります。自分の私利私欲のために法律をつくり、その法律に基づいて活動すればいいわけですから。

**大石**　ドイツの政治学者で経済学者・哲学者でもあったマックス・ウェーバーは「政治家に求める資質とは、情熱・責任感・判断力である」と述べています。このうち一つでも備えた日本の政治家は存在しているのだろうかと思いますね。誰が国民生活の向上に情熱と責任感と判断力を持って、官僚を使いこなしながら政策立案に臨んでいるのか。今の実態から判断すると、与野党とも誰一人としてウェーバー基準に合格できる者はいないと思います。

## アセスメントも議論もない

**大石**　私は今の政治、特に岸田文雄政権にお願いしたいことは、後世に対して取り返しのつかない失敗をしないでほしいということです。たとえば、誰でも二種免許を取れるようにすると言っています。二種免許はお客さんを乗せるバスやタクシーを営業するために必要な資格制度です。それなのに日本語が話せない運転手に門戸を開くのか。ライドシェアもそうですよ。アセスメント（事前調査に基づいた評価）が足りなさすぎます。

**藤井**　アセスメントなどまったくありません。彼らはライドシェアを導入することを前提に議論しています。そんなあらかじめ結論を固定した上での議論など、議論とは全く言えない代物です。

**大石**　道路建設の場合であれば、まず、ここに道路をつくるべきかどうかを判断するために、環境にどのように負荷がかかるのかを調べる環境アセスメントを行います。

そのような調査をしなければならないほど、ライドシェアをめぐる犯罪がアメリカでは起きています。韓国も台湾もライドシェアを実質、導入していません。

**藤井**　ヨーロッパも禁止していますね。

**大石**　それなのに、運転手がとにかく足りないからという理由だけで日本は導入しようとしている。

**藤井**　しかも、乗車率が足りないのかと調べてみると、足りているのです。

**大石**　つまり原因は運転手の給与の問題なのですよ。十分な給与を運転手に支払いさえすれば、運転手が不足することはないのです。数年前に京都大学で教えていたのですが、京都市内でタクシーに乗ったら運転手さんが「タクシーの運転手をやっていても、子供すら育てられない」と、ものすごく嘆いていたことがありました。

**藤井**　そのような安い給与が続けば、運転手のなり手がいなくなりますね。

**大石**　給与をちゃんと支払いさえすれば、仕事をするという人はいるのです。しかし十分な給与を支払うこともせずに、白タクに門戸を開こうとしているのです。

そもそもドライバー不足の一因は収入の低さです。全国ハイヤー・タクシー連合会によると、二〇二二年の年間賃金は平均三六一万円で、全産業平均の約四九六万円より一〇〇万円以上低い、労働時間は月九時間以上長いにもかかわらずだと、『日経ビジネス』に佐藤嘉彦記者が書いていました。

ライドシェアを導入することで起こり得る犯罪や事故をどうやって防止するのか、ペナルティをどうやって科すかという議論を行い、それで十分かどうかを見極めた上で、導入するのならまだ分かりますが、そのような検討をまったくしていません。一度、導入して、後世で取り返しがつかないことになっても、もう遅いのです。

たとえば外国人との共生がそうです。いったん門戸を開いて、容易に外国人が入って来られるようになったらどうなるのか。われわれと同じ仏教のような、穏やかな宗教の人なら別ですが、世の中には非常に強力な宗教があって、それを持たないことには生き延びることができない民族的歴史を抱えている人たちはたくさんいます。もしそういう人が、厳しい民族的経験もなく、安穏と生きてきた日本のような国にやって来たとき、どういう影響を与えることになるか、それこそ強力なアセスメントが必要です。

昔、鳩山由紀夫総理が「日本列島は日本人だけのものではない」と、むちゃくちゃなことを言いました。もちろん、外国人に来るなとは言いません。どうぞ来ていただきたいのですが、「共生国家」の名のもとに、この国を一緒に運営するという段階にまで外国人を入れるのであれば、相当に深いアセスメントが必要です。

**藤井** 今の岸田文雄内閣は恐ろしいと感じます。低支持率でありながら、多数派工作をして多くの法律を粛々と通しています。野党に対する配慮や、自民党内の多様な議論への配慮もなく、官邸主導で全部通してしまうというのは大変、怖い。

私は先に、方法論的個人主義による共同体の溶解について申し上げましたが、もう一つの重要な側面を指摘したいと思います。私自身、自戒の念を込めてのことですが、公的な憤りに対するリスペクトや是認がほぼ溶解しているということです。

人前で私的な憤りで騒ぐのは恥ずかしいことです。しかし、公的な憤りであるにもかかわらず、それすら表現することを禁じるような社会風潮があるように思います。公的であれ私的であれ、そこに徳が存在しようがしまいが、憤りそのものをすべて悪とする教育が、日本人の倫理観の喪失を招く原因になっているように思います。たとえば大石先生が先ほど仰ったライドシェアでも、外国人移民でも、アセスメントなく受け入れようとしているのは、とんでもない話です。ふざけるなと激怒したい思いです。なぜか。

これには二つ意味があります。それによって国家が潰れるのではないかという意味の憤りと、政治家が議論そのものを蔑ろにしているというその手続きについての完全なる不当性に対する憤りです。

私は実は前者よりも後者に深く憤りを覚えます。政治において議論もせず、結論だけを決めて、ゴリ押ししていく。それに対する憤りを国民が共有しない限り、政治家はその態度を改めようとしないでしょう。だから有権者なり有識者なりが怒らなければ、悪は止められません。

たとえば村の中に悪い人間がいて、その悪行を止めたいなら、怒って捕まえる以外にありません。憤りもなく「人それぞれだ」などと言っていたら、その人間は悪いことをやり放題です。

怒りをひと言で言うと、正義感です。正義感は悪に対して必ず義憤のかたちを伴います。悪を目の前にしたときに、憤りのない正義感というものはあり得ない。

今の社会風潮にあって義憤をなんとか復活しなければなりません。非暴力を全面的、かつ無条件に肯定したり、武力を含む暴力をすべて否定したりする戦後空間は、最終的に法制度、とりわけ憲法の問題に関係してきます。日本の三種の神器の一つは草薙の剣のはずなのに、「武」にするリスペクト、「武」というものに対する感受性の喪失が、今の日本の腐敗や溶解の根本にあるのだと感じます。

## 東京一極集中の怖さ

**大石**　安全保障についてもそれは言えると思います。戦後は、武力を完全に捨て切ることが正義であると考えていました。しかし、世界中の国で安全保障を無視している国などまったくありません。

　日本と同様にドイツも鉄道の交通量は増えていませんが、今もドイツがレールを維持しているのは、いざというときを想定しているからです。線路を残しておかなければ、道路だけでは師団単位の軍隊を他国に送ることができません。口に出して言わなくとも、ドイツ人の体の中にそういう思想が流れているのです。首都ベルリンには全人口の五％しか集まっていません。フランスも同じです。パリは巨大な街ですが、それでも総人口の三％ぐらいしかいません。

　ところが日本はと言えば、昭和二〇年代は首都圏の人口は総人口の一五％程度でしたが、今や三〇％が集まっています。今も集中が進んでいるというのに、日本人は平然としています。

**藤井**　倫理、道徳の溶解そのものですね。

**大石**　日本国内では、東京一極集中が進むのは、東京が首都であるがゆえの必然的帰結だという指摘がありますが、それは間違いです。国会があろうが中央政府機関があろうが、経済や金融の中心であろうが、それで人口集中が進むわけではありません。

ではなぜ一極集中が進むのかというと、インフラの一極集中投資が行われているからです。

しかし、行き過ぎた巨大化は全体として都市機能や都市効率を低下させて、ほかの地域の活力を奪ってしまいます。全国的に見れば、マイナスのほうが大きいということになります。しかも、日本列島には地震が繰り返し襲ってきます。近い将来は、東京にも直下型の地震が高い確率で起きることが想定されています。それなのにこれだけの人が集まっているのはあまりに危険です。

東京一極集中論、首都圏一極集中論は、安全保障の話でもあります。ところが、政府にも国民にも、日本の国家の存続に関わる問題なのだという認識がまるでありません。

**藤井**　もし北朝鮮から東京にテポドンを一発でも撃たれたら、日本はすべてを失ってしまいます。中国が北京を失ったとしても、北京の人口は全人口の一・五パーセント程度にすぎませんから、彼らは滅び去ることはありません。しかし日本は違うのです。軍事用語で言うと、日本は抗堪性《こうたんせい》が極めて低い状況にあるのです。

# 第三章　経済学は何のためにあるのか

## 「公」が不在の日本人

**大石**　最近、電車に乗ると、ほとんどの人がスマートフォンに集中しています。スマホで政治や社会とかかわっているのではなく、ゲームをやっているか、友達とSNS（ソーシャル・ネットワーキング・サービス）でやりとりをしているかのどちらかです。電車の中は公共の場であるはずなのに、日本の場合は公共空間ではありません。乗っている人数の分だけの私的空間で分割されているのです。私的空間と私的空間だけが接触している、そういう世界です。「公」が完全に消え去っています。

**藤井**　物理的に接触しているだけで、社会学的な共同体が成立しているわけではないのですね。

**大石**　だから優先席に座っていて、お年寄りが前に立っているのに、「私が自分の空間を占めていて何が悪いのだ」という感覚になっているのです。つまりこの国には公共というものはもはや存在しなくなっています。

「公」が消え去っているのですが、これは政治への無関心にもつながっています。たとえば政治を監視しようという気持ちを持つのは「公」の部分です。「公」が責任を果たさなければいけない。しかしそれが完全に消えているから、無責任な体制になって、悪徳政治が跳梁跋扈し、監視もできなくなっているわけです。
　たとえば、これがいいのかどうかは別として、年金の受給年齢を二歳上げるだけで、フランスではあれだけ激しいデモが起こります。ところが日本の場合は何の反応もしません。政治にやられ放題です。

**藤井**　たとえば社会保険料率は法律ではなく、政令で変えるだけです。国民は反発どころか何も知らないままに負担率がどんどん引き上げられてきている。

**大石**　日本が普通選挙を採用したのは一九二五（大正一四）年でした。西欧諸国と比べてそれほど遅れていません。戦前も国民が政策に反対して、意思を表明する機会がありました。実際に明治以降も酷な政策には民衆は暴動などで意思表示してきた歴史があります。たとえば明治六（一八七三）年に土地税制の抜本的な改革となる地租の導入がなされましたが、この重税に反対して各地で騒動が起こっています。
　政治家を選ぶのも、政治家を監視するのも公的な行動です。しかし、一九九四（平成六）年に公職選挙法が改正されて、小選挙区比例代表並立制という、国民から見て政治家を監視しにくい制度が導入されました。最近でこそ、この問題点を指摘する人も増えてきましたが、今の小選挙区制で選ばれてきた政治家たちは、果たして選挙民に選ばれたという意識を持っているかというと、実に疑問です。

## 政治家は党中央しか見ていない

**藤井**　党から選挙を勝たせてもらったという意識はあるのでしょうけどね。

**大石**　それしかありませんね。小泉純一郎総理が郵政民営化をめぐって衆議院選挙をやりました。あのとき民営化に反対する造反議員のいる選挙区に刺客を送り込みました。これが小選挙区制の破壊です。

東京で言えば、何回も当選した小林興起議員の選挙区に、人気があった小池百合子氏を当てて、彼女を勝たせました。長い間、その選挙区では小林興起さんが選ばれてきたのですが、その民意をまったく無視したのです。他の選挙区でも同様のことが起きています。つまり、政治家は党本部のほうを見ていないと、次の選挙で自分は候補者になれないということを学習したわけです。

**藤井**　政治家が国民を見ないで党本部だけを見る契機になったわけですね。

**大石**　そうです。政治家の行動の原点は、党本部にいかに気に入られるかどうかになりました。

**藤井**　それがパーティー券問題に象徴的に現れています。党の中心を見ることと、派閥の中心を見るというのは大いに重なっています。

**大石**　野党に力があれば緊張感が生まれますが、今の野党は悲惨な状況です。与党に代わり得る力になりません。

**藤井**　こうした問題をどう改善していけばよいのかを考えると、かなり絶望的です。私は方法論的個人主義や平和主義が問題だと申し上げましたが、精神的には憲法改正がやはり大事だと思います。しかし、それはすぐにできるわけではありません。他に何があるかと考えると、結局、しっかりとしたインフラを日本国家の中で再構築し、デフレを脱却し、成長を導く国家をつくることなのだと思います。

成長できる国家にしないかぎり、問題が改善することはないでしょう。なぜならば、衣食足りて礼節を知る、というのは永遠に真実だからです。多くの国民は今日のパン、お米をどうやって買うか、明日のパン、お米、来年の暮らしをどうやって支えていくのか汲々としています。「公益」や「公徳」は言うに及ばず「私徳」すら、考える余裕がないのです。「私益」に拘泥させられている経済状況というものをあっさり言うなら単なる「貧困」です。それから国民を解放すれば、「公益」や「私徳」「公徳」を考える人がもっと増えることは確実です。

ですから、ぜひとも経済成長を遂げなければなりません。それは国民を救うことでもあると同時に、国家の根底的腐敗を食い止める最善の処方箋になるのです。

国民が今はまり込んでいる貧困状況から脱却するには、消費税を減税すると同時に、しっかりとした基礎的なインフラを整備し、整備新幹線の建設を進め、港湾投資、都市部投資を行う必要があります。また、インフラを守るための強靱化対策投資や防災投資を行い、内需を拡大し、全国各地で産業を活発化しなければなりません。田中角栄総理が主張した列島改造と同じものを、二一世紀に行うことができれば、国民の物質的な豊かさが向上し、ひいては精神的な豊かさにつながります。貧すれば鈍するですから、なんとしてもやる必要があります。

なぜそれができないのか。日本人の精神の腐敗があるから、インフラが整備できない。だからより一層、腐敗してしまうという悪循環に陥っているからです。劣悪なインフラが国民生活を劣化させ、劣悪な精神状況が生まれるという悪循環を、なんとか断ち切らなければなりません。

この最も適切な方法は、アメリカンフットボールでいうと「超ロングパス」です。

つまり誰か一人でもいいので、胆力のある強力な政治家が現れて、その人物がデフレ脱却に向けてのロングパスを一本通すことができれば、日本の未来はあるのではないかと思います。

## 経済学は何のためにあるのか

**大石**　先に東京大学の法学部のホームページに書いてあった定義について話しましたが、では経済学部はどう定義されているか。経済学部は「多様な分野に関する理論的・実証的な学説・知識を体系的に講義するとともに、演習などで個別研究を行う機会を提供することによって、国際的な視野に立って実業界・官界・学界などで活躍する人材を養成することを目的とする」、経済学科は「経済社会の諸現象を国際的な視点から巨視的に把握するとともに、それを構成する諸領域（産業、国際貿易、財政、金融、労働など）を理論的・実証的・歴史的に分析する能力を培うことを目的とする」としています。

つまり、人間社会の経済現象を研究するというような認識でしかない。何のための学問なのか書いていないのです。「国民の豊かさの実現のため」とか、「国力の充実のため」に経済の現象を研究すると書いているならいいのですが、その部分がないのですよ。

**藤井**　経済学部は根から腐っているのですね。法学部は幹は腐っていても根はなんとか腐らずに残っているようにも思いますが、経済学部の状況はひどい。

**大石**　大経済学者だった宇沢弘文さんが、経済学を痛烈に批判しています。宇沢先生の著書『人間の経済』（新潮新書）を読むと、免疫学の権威で大阪大学の総長を務めていた岸本忠三さんのところに、大阪大学の経済学部の教授たちが訪ねて行ったくだりがあります。宇沢さんはこう書いています。

「シカゴ大学の医学部教授の給料は経済学部教授の約三倍でしたが、日本では国立大学は学部を問わず給料は均一でした。医学生の教育、患者と向き合う臨床、さらに行政上の実務、と毎日たいへんな思いをしている医学部教授の社会的な責任は相当大きい。それに比べたら経済学部の教授など、知っていることを大教室で話しているだけです。

かつて大阪大学の岸本忠三総長が、リストラされかけた経済学系の教授たちから陳情を受け、冗談交じりに『あなたがたの業績すべてを併せても、私一人の業績に及ばない』と言ったことがあります。しかし私に言わせれば、免疫学者としての岸本先生の業績は、日本中のすべての経済学者の業績を全部併せても及ばないでしょう」。

なるほどと思いましたね。

東京財団が経済学者に対するアンケート調査を行い、回答者二八二人の結果をレポートにまとめて昨年一月に公表しました。そこには、「日本経済は将来的に成長するだろうか」という質問に対して、なんと日本の経済学者の五〇％が「成長は困難」と答えたと書かれています。だったら「君たち、経済学者を辞めたらどうかね」と言わざるを得ません。

**藤井**　経済学者と議論する機会は多いですが、彼ら自身がそのように思っているのなら、もはや何を議論しても意味がありませんね。

**大石**　経済を成長させるために、あなたたちがいるのだろうと言いたいですよ。

**藤井**　患者を目の前に、何の治療行為も行わないで、「あなた、そろそろ死にますよ」と言うような医者と変わりがありません。

**大石**　おまけに「財政赤字は大きな問題だと考えるか」という質問に、四四％が問題だと言っています。こんな経済学者たちがいる間は何も期待できません。

読売新聞では東大名誉教授（経済学）の吉川洋氏がこんなことを述べていました。
「政府に求められるのは、社会保障制度の全体像と問題の所在を分かりやすく説明することだ。その上で骨太の改革案を示し、負担の必要性を国民に納得してもらわねばならない。
日本という国の将来のビジョンが明確になれば、多くの日本人は応分の追加負担に賛成するはずだ」（読売新聞二〇二四年一月二八日「［地球を読む］社会全体の課題　人口減　強まる閉塞感…吉川洋　東大名誉教授」）

なぜ国民所得増を考えないのか不思議で仕方ありません。

**藤井**　彼らは近代アカデミズムの宿痾に囚われてしまっています。かつては国民経済を健全化し、誰もが働け、誰もが適切な賃金を受け取ることができることを企図していたはずでした。しかし経済学者たちは、もはや自由放任こそが善であるという「新自由主義経済学イデオロギー」に染め上げられてしまいました。

経済学者は、世論に対してはテレビや新聞などを通して、政府に対しては各種調査会や審議会の会長を務めることを通して、政界、財界、学界といった各界に対しては、そのイデオロギーを持った人材を輩出し続けることを通して、新自由主義的なイデオロギーを徹底的に流布させていきました。

その結果、戦後の日本の成長を引っ張って日本の未来を築き上げるために必要な次世代投資が、否定されていくことになったのです。

それをマクロ経済の視点から言うと、「デフレギャップ」が放置されることが決定的となったことを意味しています。こうして新自由主義経済学イデオロギーは日本を根底からダメにしていく極めて重要な役割を担ったのです。

経済学は、本来「経世済民の学」であるはずです。「世」を「経《す》」べて「民」を「済《すく》」うというところから、もともと経済学は生まれているのです。ところがその基本理念が今の経済学界、経済学部、そして経済学者の精神から綺麗さっぱり失われてしまっているように思えます。一方でわれわれ土木には「築土構木」の思想がありますが、これは「土」を「築《つ》」んで「木」を「構《かま》」い上げることで、人々の幸福や安寧に貢献しようというものです。そして土木学会の倫理綱領は以下のように定めています。

「土木技術者は、土木が有する社会および自然との深遠な関わりを認識し、品位と名誉を重んじ、技術の進歩ならびに知の深化および総合化に努め、国民および国家の安寧と繁栄、人類の福利とその持続的発展に、知徳をもって貢献する」
それと同じような思想が経済学にもあるはずです。
**大石**　ところが経済学の定義には目的関数が書かれていないのです。
**藤井**　恐ろしいですね。

## このままでは国柄はなくなる

**大石**　関東大震災は明治以降、日本が受けた最大の災害でした。しかし、復興増税は導入しませんでした。あれだけのものが壊されて、その後、昭和通りをつくり、靖国通りをつくり、多くの公園を整備しました。しかし、増税をしたわけではありません。
大蔵大臣を務めた高橋是清のデフレ対策にしても、日銀（日本銀行）がとんでもない国債を発行しました。そのおかげで、日本は一九三〇年からの不況からいち早く回復を果たしたと評価されましたね。そういう経験が日本にはあるのです。
**藤井**　以前に橋下徹さんと大阪都構想について論争したことがあります。そのときの経験を話すと、彼は理屈を論じるのではなく、すでに結論があって、それに向けてあとはどうやって多数派工作をするかを考えておられるという解釈以外は不可能な言葉を次々と発せられていた。ですから論理の視点から言えば、極めて邪悪な詭弁家にすぎないと言わざるを得ません。ただし当時は徹頭徹尾そういう態度で政治行政の発言をされるのは橋下さんぐらいなのかなと思っていたら、残念ながら、財務省を中心とした緊縮財政派もまったく同じ態度なのだということを、最近つくづく感じます。

ライドシェアを導入しようとしている新自由主義者の皆さんも、結論はすでに先にあって、あとは多数派工作をやり、世間の空気を読みながら、政治家に決めさせればいいと考えています。大学で教える人間としては本当に驚愕するしかありません。つまり議論するふりをして、議論などせず、工作だけやっている人々が至る所に潜んでいる。まるで悪魔、悪霊の類いです。

ですから、日本はこのまま行くと確実に滅びてしまいます。日本の国柄はいずれなくなってしまうことはもはや避けられないような軌道に今、はまりつつある。

たとえば今のフィリピンは、昔、フィリピンの島々に住んでいた人たちの文化や伝統、言語とはもはや関係のないものとなっています。フィリピンは一六世紀以降、スペイン、アメリカの植民地下におかれました。フィリピンの名前は、スペインの国王フェリペ二世に由来しています。スペインがフィリピンを植民地化した際、フェリペ二世にちなんでフィリピナス諸島と名付けられました。
日本も文化がアメリカに浸食され、資本が中国によって買収され、いろいろな制度が諸外国によって改変されています。日本のドメスティック（地域的）な産業の最後の砦の一つとも言えるタクシー産業ですら、外国に取られようとしています。これは文字どおり経済的侵略が進んでいることを意味します。国民が不利益を被ることを分からないようにするために、ライドシェアを導入しようとする人たちは、きれいな嘘をつきながらそれを推進しています。

**大石**　自分たちの孫の世代が、日本ではやっていけないから、ほかの国に出稼ぎに行かなければいけないと思うような国にだけは絶対にしたくないですね。

**藤井**　日本の賃金は、そろそろタイあたりに抜かれますよ。

**大石**　タイのちょっとしたラーメン屋に入った日本の女の子が、「高い！」と驚くような料金になっています。ニューヨークではラーメンが三〇〇〇円もしますが、彼らはそれだけの料金を支払える給料を稼いでいます。しかし日本は違う。

**藤井**　このまま進んで行けば、日本には明るい未来が一切なくなってしまいますね。無論、それを岸田文雄総理に言ったところで、「いや、それは藤井先生、極端だよ」

と、気にしないのでしょうけれど。

**大石**　少なくとも今の小選挙区制になってから当選した政治家には、日本の未来に対して危機感を持っている人がいるようには思えません。

**藤井**　京都大学の学生でも、私が訴えることに聞く耳を持っている学生は残念ながらほとんどいないのが実情です。「もっと普通の先生が教えることを普通に教えてください」といった感じで、多くの学生は真実に興味がない。

**大石**　京都大学でそれですか。

**藤井**　多くの学生にとって私の話は全部、無駄なのです。象徴的に言うなら「そんな話を聞いても、ゴールドマン・サックスに就職するのに関係ない」としらっとしてる手合いも平気でいるわけです。つまり僕は授業で「公徳」や「公益」の問題について語るわけですが、それは彼らの「私益」にはほとんど関係ない、というわけです。もちろん中には「公徳」「公益」に本格的に関心を抱く学生もいるとは思いますが、むしろそれは例外なのです。いや、恐ろしいと思いますね。このような状況では日本は本当に滅びてしまうと本気で感じてしまいます。

## 宗教を知る大切さ

**藤井**　私が生まれた頃と比べて、日本はまったく変わってしまいました。昔はもっと日本的でしたよ。昭和の時代には文化、伝統、宗教がありました。

**大石**　日本もそうですが、アメリカでも教会に行く若者がものすごく減っているそうですね。宗教的バックボーンというものを完全に欠いた人間は根なし草もいいところです。

**藤井**　今回、私が編集長を務めている雑誌『表現者クライテリオン』で、政治と宗教を特集したのですが、少し勇気がいりました。宗教というと、みな何か嫌悪を感じるのではないかと思ったのです。しかし、やはり宗教を語らねばならない。人間の精神というものは、いくぶんかの意図をもってコントロールしておかないと整わないからです。

宗教は大事、家族は大事といった言説を鏤《ちりば》めながら生きていくことは大切です。ちょうど盆栽と同じで、意志を投入して自然の木を整えていくことによって、美的なものに変化していくのです。だから、人間の精神も、内発的なものは大事なのですが、幾分、チョキチョキと矯正しないといけない。それがハラスメントだと言われたら、木は伸び放題荒れ放題になって自滅するしかありません。

　だから宗教を語らなければいけないのですが、これを授業でやってはダメなのです。録音されて、SNSに上げられたら、一発でやられてしまいます。

**大石**　私はYouTubeチャンネル『大石久和のオンライン国土学ワールド』の中で宗教を語りたいと考えています。ただ、宗教を真正面から取り上げるのもどうかと思い、いま「四苦八苦」という話をしています。

　仏教では、世の中には基本的な苦しみが四つあるとしています。さらにこれに付随する苦しみがもう四つあります。だから「四苦八苦」と言います。

「四苦」とは「生《しょう》病《びょう》老《ろう》死《し》」です。「生」は「しょう」と読みます。生まれてきたことがすでに苦しみなのです。宗教家のひろさちやさんは「生まれてくること、老いていくこと、病気になること、死んでいくことは苦しみだが、そこから逃れようとすることが苦しみである」と言っています。生まれてきたことを嘆いても始まらず、生きていくしかないのです。

　残りの四つの苦の一つが、「愛別離苦《あいべつりく》」です。つまり、愛する者と別離することの苦しみを言います。

それから「求不得苦《ぐふとくく》」という、求める物が得られないことの苦しみがあります。たとえば「あのルイ・ヴィトンのバッグが欲しいけど、ちょっと高すぎるわ」とか、「あの人と結婚したいけど、ちょっと美人すぎて私のほうを向いてくれない」というものです。

「五蘊盛苦《ごうんじょうく》」は、人間の心の動きや頭の動きが活発であることの苦しみです。たとえば、夜眠れなくなることがあります。心や頭の働きは強過ぎても苦しみが多く、中庸が良いということです。

それから「怨憎会苦《おんぞうえく》」。怨み、憎んでいる者に会わなければいけない苦しみのことです。人間とはそういう者に囲まれている存在なのだから、パワハラ上司やいじめっ子がいることとも受け入れるしかありません。「学校に行くといじめっ子がいるから、転校する」と言っても、転校した先にもっとひどいやつがいます。つまり「今の上司が嫌だから職場を替わりたい」と替わっても、「替わった先に、もっとひどいのがいるぞ、世の中とはそういうものだぞ」と仏様が教えてくれているのです。

「四苦八苦」は、全ての人間が持っている苦しみです。これから逃れようともがけばもがくほど苦しくなります。しかし、これを知っていれば、これらの苦を上手にこなしていくしかないということがわかります。

**藤井**　必ずしも祈りを捧げて、修道女のように暮らすだけが宗教ではありません。「四苦八苦」だけでも宗教ですよね。

**大石**　仏様が「生まれてきたことが苦なのだ。それが人間に備わっている基本的な四つの苦しみの一つなのだ」と説いていることを知るだけでも楽になるのですよ。人はよく、「なぜ俺だけがこんなにつらい目に遭うのだ」と考えます。しかし、もし仏様が説かれたことを知っていたら、諦めることができて、あれこれと悩まなくてもいいのです。

# 第四章　日本の防災の実情

## 東京湾岸に集中する火力発電所

**大石**　昨年（二〇二三年）、九月一日はちょうど関東大震災から一〇〇年にあたりました。関東大震災が再来したとき、今の日本はそれを乗り越える能力があるのでしょうか。関東大震災の反省を踏まえると、いくつもの日本の問題を指摘できます。

一つ目の問題は、首都圏に人口が余りにも集中しすぎていることです。ありとあらゆる機能が首都圏に集中しているのに、戦前の一九四〇（昭和一五）年には繊維組合など東京にある必要がないものまで全部東京に置けという指令すら出しています。

なぜ東京にすべてを集めたのか。それは、軍の指令を全国に伝える利便性のためです。そのために東京への集中が加速的に進みました。それでも関東大震災当時の東京、首都圏への人口集中は一三・七％でした。ところが今では三〇％です。東京、首都圏の脆弱性、日本の脆弱性と言ってもいいかもしれませんが、東京、首都圏がやられたときの日本の危機の度合は、もはや二倍以上になっているのです。これをなんとかしなければならない。一番喫緊の課題です。

二つ目は、現在、東京湾岸地域にものすごい数の火力発電所が集中していることです。計算してみると、この地域だけで二二〇〇万キロワットの電気を起こしているのです。二二〇〇万キロワットは日本の電力設備容量の約一割に当たります。小さな国の一国分に匹敵します。
　東京電力は現在、原子力発電所をまったく動かしていません。もし湾岸地域の火力発電所が止まったら、東京だけでなく、関東には極めて長い間、電力供給ができなくなります。
**藤井**　二〇二二年の福島県沖地震で、東京は少し揺れたくらいでしたが、半年や一年間も停まってしまった火力発電所が複数ありました。
**大石**　火力発電所は湾岸ぎりぎりに建設されていますからね。高波が起きても、津波が発生してもみなアウトです。
**藤井**　湾岸ですから液状化も起こります。地盤が軟弱ですから、火力発電が破壊されるリスクは極めて高くなりますね。

## 公共空間が足りない

**大石**　三番目の問題が公共空間の不足です。これは被災者の収容や被災者住宅、あるいは応援資材の集結に必要な場所です。ところが日本の場合、こんなに多くの地震があることがわかっているのに、公共空間が非常に少ない。東京周辺で比較的広いのは、上野公園ですが五四ヘクタールしかありません、皇居外苑を使わせていただいたとしても一一五ヘクタールです。

ところがニューヨーク市マンハッタンのセントラルパークは三四一ヘクタールもあります。ニューヨークには地震がないにもかかわらずです。しかもセントラルパークはニューヨークでは五番目の広さです。ペラム・ベイ・パークというニューヨーク市ブロンクス区の公園は一一二二ヘクタールです。これは日比谷公園の一六ヘクタールの七〇倍です。クイーンズ区のフラッシング・メドウズ・コロナパークは五〇八ヘクタール。要するに、東京にはいざというときの公共空間がまったく不足しているのです。

それから四番目が、木造密集地帯がいまだに残存していることです。これは、東京にかなり多く残っています。環状七号周辺などでは木密地域が減少しつつありますが、解消にはほど遠い状況です。江戸川区や江東区などには広い範囲に木造住宅が密集しています。延焼を防ぐための広幅員区画街路が提案されていますが、住民の反対で計画はあまり進んでいません。

**藤井**　そうですね。能登半島地震でも多くの木造家屋が被災しました。

**大石**　五番目が救援にあたる建設労働者が不足していることです。近年の公共事業費の削減などにより、地方の多くの建設会社が廃業して建設労働者が大きく減少しています。

今回の能登半島地震では、石川県の建設業者が以前よりも二五％ぐらい少なくなっています。現在、日本では建設労働者の数は四八〇万人になっています。この一五年間で五六万人、この二年間だけで一六万人も減少しています。こうした状態でいったい、誰ががれきを動かすことができるのでしょうか。東京や関東で大地震が発生しても、倒壊したビルや落橋した橋などががれきとなったまま、相当長期にわたって放置されることになるわけです。

六番目が、全員がスマホを持っていることです。関東大震災のときも、根拠のないガセ情報が駆け巡り、大きな混乱を引き起こしました。朝鮮の人たちが流言飛語のために犠牲になりました。個人対個人の情報のやり取りが口コミでしか行えなかった時代ですら、歴史に残るような騒動が起きたのです。

しかし、今はＳＮＳで一気にデマが拡散する恐れがあります。まさに個人が「デマ発信器」を持っているのと同じ状況です。不特定多数にデタラメ情報を大量に拡散してしまえば、それを見抜く情報耐性がないため、デマを信じやすい人びとによって大混乱や大騒動が起きる可能性は当時よりもはるかに高くなっています。

七番目は、地域コミュニティが崩壊していることです。たとえばマンションの郵便受けには誰も名前を出していません。隣に誰が住んでいるかわからないようなところで、いざというときに、ご近所の助け合いができるはずがありません。そうすると、スリム化ばかりしてきた「公共」に負担がぐっとのしかかることになります。

八番目は、被災の支援を行う公共機関がどんどん痩せ細っていることです。一番わかりやすい例が、東日本大震災のときに東北地方整備局の運転手が出勤してこなくなったことです。なぜかというと、運転手は職員ではなく派遣に頼っていたからです。派遣の運転手さんたちは、東北地方整備局の使命については理解していません。だから、東北地方整備局が公共機関として一番、機動力を持たなければならないときに、力が発揮できませんでした。

今は当時よりも、もっと派遣の運転手さんが増えています。東京の本省の局長クラスが乗る車も、ほとんどが派遣の運転手さんです。だから「運転手には行き先を直接、命令しないでください」と規則に書かれています。こんなことで、いざというときに公共機関としての機能を発揮できるのか心配です。

九番目が、東京首都圏は、全国のどこよりも、あらゆる物資の他地域への依存が大きいということです。したがって道路や鉄道が寸断されたときに、食糧など生活必需品の首都圏への供給は不可能に近くなります。

そうした場合、餓死者が出ることも想定されます。東京、首都圏の他地域への食糧依存はきわめて高く、東京のカロリーベースの食料自給率はゼロ％です。交通が止まったときに、どうやって食糧を確保するのか、その保証はあるのでしょうか。

## 自動車が道路を埋め尽くす

**大石**　一〇番目の問題は自動車です。自動車が氾濫していて、東京都の自動車登録台数は四四〇万です。関東大震災が起きた一九二三年の全国の自動車保有台数は一万台ちょっとしかなく、そのうちの半分の五〇〇〇台は東京にありました。テレビが特集した関東大震災の映像を見ると、大八車は見かけましたが、自動車はほとんど映っていませんでした。ところが、今度、震災が起きたときは、そうはいきません。東京には四四〇万台もの車があるのです。自動車が氾濫して道路が埋め尽くされ、緊急車両がまったく使えなくなる心配があります。東日本大震災時も東京では道路が車で埋め尽くされて、駐車場のような状態となりました。車が立ち往生し、長時間、動けませんでした。

一一番目がタワーマンションの増加です。東京の臨海部周辺にはタワーマンションがめちゃくちゃ多く立っています。それも特に液状化しやすいところにあるのです。大地震が起きればタワーマンションは孤立して、餓えに至る災厄を引き起こす可能性があります。

**藤井**　そんな状態で本当に構わないと、今の官邸、政府は思っているのでしょうか……まったくもって空恐ろしくなりますね。

**大石**　周りの道路が完全に液状化してしまうと、救急車は来ることができません。物流車も来られない状態が何日も続くことを想定しなければいけません。そうすると今度はタワーマンションで餓死者が出ないかという心配も出てきます。

最近、売れている高級なタワーマンションは住民の二〇％が中国人だといいます。いざというときに彼らと団結ができると思いますか。二〇％の中国人と日本人で、何かを取り合って、大げんかが起こらないという保証はないのです。

一二番目は、帰宅困難者です。東京、首都圏は遠方からの通勤者によって機能していますが、首都直下地震等が起きたときに都内で発生する帰宅困難者は四五三万人にのぼると予想されています（東京都防災会議、令和四年）。

東日本大震災のときも約三五二万人の帰宅困難者が出ました。幸い東京は被災していませんでしたが、もし被災したとすると、四五三万人の帰宅困難者が出るのです。さらには、春と秋には多数の修学旅行生が東京にやってきます。このような域外からの流入についても考えることが必要です。彼らは都内の地理に不案内です。混乱する確率はさらに高くなります。こうした人たちをどのように収容するのか。この人たちをどこかで収容するとしても、収容所の数は果たして足りているのでしょうか。

一三番目は都内のビル群です。二〇階建て以上のビルが一〇〇〇棟を超えています。ここに閉じ込めにつながる可能性のある約三万基のエレベーターがあります。大地震が発生した際の可能性としては、約一万七〇〇〇人が閉じ込められてしまうと試算されています（内閣府報告書、平成二五年）。それを誰がどのような順番で救助していくのか。

二〇二三年一一月、東京に日本一高い「森JPタワー」が開業しました。ビルの高さは約三三〇メートルで、それまで高さ三〇〇メートルでトップだった大阪市の「あべのハルカス」を抜きました。超高層ビルが次々に誕生することについて、名古屋大学の福和伸夫先生は「私は、超高層ビルをつくるのは、もうやめた方がよいと思う。日本には地震があることを忘れているのではないか」と警告していましたが、私もそう思います。

一四番目。これは扱いに注意しなければならないことですが、一九二三（大正一二）年の関東大震災当時には非常時の法制、戒厳令という制度がありました。しかし、現在の日本には暴動を沈静化させる法システムがありません。これを、どうするのかという問題も大きいと思います。

一五番目は、東京都の無電柱化率が約五％に過ぎないことです。九五％は道路わきに立っているのですが、電柱は必ず倒れます。倒れたら道路はまったく機能しなくなります。救援活動にも支障が出ます。

二〇一九年に南房総を襲った台風15号の強風被害では、電柱や鉄塔までが倒壊し、大惨事となってしまいました。諸外国と比べても、ロンドンやパリは、ほぼ一〇〇％、無電柱化になっています。韓国のソウルでも四九%です。ところが東京は五%、大阪府では三%以下しか無電柱化はできていません。早急に無電柱化を進める必要があります。

一六番目は、あまり指摘されないことですが、二〇二〇年時点で首都圏に在住する外国人は一一四万二〇〇〇人もいます。一九二〇年には一万九〇〇〇人しかいませんでしたから、六〇倍もの海外の人が住んでいます。この人たちは、ある程度、日本語が理解できると思っていいと思いますが、もちろん、われわれよりは日本語が不自由です。

さらにこれに加えて訪日観光客が非常に増加しています。彼らはほとんどが日本語を話せないでしょう。これらの人たちをどうやって誘導するのか。

一七番目は高速道路です。関東大震災が起きたときには、これだけの高架道路はありませんでした。もちろん首都高速はありません。首都高速は地震で崩落しないように対策はされています。しかし地震力が一律の強さで首都高速を襲うとは考えられません。どこかに集中的な地震力が加わって崩落してしまうと、首都高速のネットワークが機能しないと同時に、下の道路まで機能しなくなってしまいます。

以上、問題点を列挙しましたが、そうした議論がどのメディアでもさっぱりないのです。

## なぜ日本人は無批判・無抵抗なのか

**大石**　もう一つ、問題点を指摘したいと思います。

関東大震災の節目に当たって、新聞テレビではいろいろな特集が組まれました。終戦や原爆投下の日には、鎮魂や、二度と戦争は起こさないなどの誓いが繰り返されます。その平和記念式典を見ていて不満に思うのは、原爆が二度も落とされるまで日本は敗戦、終戦の決意ができなかったことです。

サイパンが陥落した時点で日本は空襲まみれになることは明らかでした。その時点で、敗戦、戦争終結をアメリカに通告すべきでした。しかし、そういうことにはならず、ずるずると戦争を続けながら、なんとソ連に仲介を頼むようなことまでやりました。ソ連は中立条約を平気で破るつもりでした。そのソ連に頼るのは不思議で仕方がありません。

日本の不思議は、これだけにとどまりません。

少し迂遠な話になるかも知れませんが、それは一九九五年の財政危機宣言以降、緊縮財政に邁進してきたことと同じです。財政再建路線について、財務省は財務省の論理で「支出を削減しなければならない。国債を発行してはいけない」と言います。しかし政治の世界で、それを決めた人は誰もいないのですよ。

これはかつて対米戦争が開始されたのと同じです。当時、アメリカの自動車生産能力は日本の一〇〇倍もあり、GDPは開戦時で五倍、戦争終結時には一〇倍もありました。そのような国と戦争をして勝てるはずがありません。ところが、このときに私が戦争を決意したという人は一人もいないのです。当時の指導者たちは「もう戦争を止められる雰囲気ではなかった」という趣旨を語っているのです。

**藤井**　雰囲気だと。

**大石**　雰囲気でアメリカと戦争したのだとも言える。つまり、あの戦争を決意した人はいないから、敗戦を決意する人もいませんでした。

**藤井**　新型コロナウイルスのときと一緒ですね。

**大石**　そうなのです。昔起きていたことと同じことが、今も起きているのです。「財政再建至上主義はおかしい」と言われているのに、「財政再建至上主義は私がやり始めました」と言う人は誰もいません。だからそれを止める人もいません。政治家同士も、もたれ合っています。

国民の側にも問題があります。先の対米戦争では、アメリカに勝てるはずがなく、何万人もが死んでいくかもしれないのに、日本では規模の大小を問わず反戦運動が起こりませんでした。信じがたいことです。いくら新聞が「鬼畜米英」と煽ったとはいえ、敗北が確実である戦争にこれほどまで何もしなかったのは、「世界史の不思議」の一つにカウントすべき奇妙さです。

日本の国民はマスメディアにあまりに信頼を寄せすぎています。二〇二一年の世界価値観調査（World Values Survey）によると、世界の「新聞雑誌に対する信頼度」は、アメリカ、フランスが約三〇％、イギリスが約一四％だったのに対し、日本だけはなんと約七〇％でした。世界の中で日本だけが突出しています。

「新聞通信調査会」が、二〇二三年一〇月一四日に「メディアに関する全国世論調査結果の概要」を公表していますが、それを見ても、メディアに対する国民の信頼度は、NHKテレビが六七・〇点、新聞が六六・五点、民放は六一・八点という高さでした。

負けるのが分かっていた対米戦争に異議を唱えなかった国民の姿は、今も変わっておりません。国を滅ぼしかねない「財政再建至上主義」に対して、まったくの無批判・無抵抗です。

なぜ、日本人は自国の転落に無関心でいられるのか。どうしてこのような無能な政治家たちを許すのか。それにはいくつもの要因があると思います。

一つは、マスメディアが横並びに財務省に忖度して、記事が財務省の広報誌と化していること。二つ目は、コロナ騒動で明白となったように、日本人は世界の人と極端に異なる異常なまでの同調主義をもっていること。三つ目が、西欧人が都市城壁の中で長い歴史の間に培ってきた「公」の意識を持っていることに対して、日本人は比較にならないほどその意識が薄いことです。

さらに付け加えなければならないのが、人格や能力を欠いた人たちが政治家に選出されてしまう今の政治制度や選挙の仕組み、主権者が持たなければならない政治と生活の距離感覚の喪失などです。これらがすべて群れとなって、日本を貧困化に貶め、破壊してきたと考えられます。その責任はもちろん政治家にありますが、国民自らも相当部分を負わなければなりません。

行き過ぎた同調主義や協調主義のために、日本人は「異なる意見を持つ者の存在を尊重する」という民主主義の根幹が理解できておりません。異なることをあまりに恐れるために、それを完全に殺して自分の世界だけに閉じこもり、公的責任を負うことを避けるのなら、この国に民主主義は存在し得ないと言えます。

## 国土強靱化を骨抜きにした財務省

**藤井**　国土強靱化基本法をつくるときに、私も内閣参与としてその議論に参画しました。大石先生が今、指摘された防災の問題点を一つずつ取り上げて、それに対する被害をどうやって回避するか、どうすれば緩和できるか、議論を組み立てましょうと主張しました。そして、国土強靱化基本計画を策定することが決まり、優秀な官僚の皆さんが法律をつくりました。

参与をやっていた立場でこういう言い方をするのはいけないのかもしれませんが、はっきり申し上げますと、すっかり中身を換骨奪胎されてしまったのです。

基本的には、大石先生が言われた事態にどう対処するかという法体系にはなっています。しかし、都市や社会、経済で何が起こるか、その評価に基づいて対策をするべきなのに、残念ながら、そうした適格な評価も、それに対する合理的な対策計画の立案もまったく行われませんでした。単に今、起こるかもしれないことを羅列して、それに対する所管はどこなのかを決めたというだけになっているのです。

所管を決めたら、次に何をするかを議論して、被害がどれくらい緩和するのかという計量評価が行われなければなりません。ところがそれがまったくなされないまま、すでに一〇年間が過ぎています。私は、これは国土強靱化基本計画の最大の問題だと思っています。事実上、何もやっていないのと同じです。それで大石先生が土木学会の会長であられたときにお願いして、土木学会でシミュレーションの計算をする体制を整え、速やかに大規模な計算を行ったという次第です。

それは本来、政府がやらなければいけないことです。今、指摘された一つ一つの問題点について、四六時中、誰かが考えていなければいけません。しかし、政府がそれをやらないので、大石先生にお願いしたわけです。その結果を次の「防災・減災、国土強靭化のための5か年加速化対策」に反映していこうと考えているところです。

では、なぜ換骨奪胎と呼ばざるを得ないような代物になったのか。これは長期計画ですから、普通なら「これだけの被害が想定されるので、こうした対策をとれば、これだけ減災できる」ということを数字付きで書かなければならないはずです。ところが、それは政府では御法度なのです。財政規律に反するからです。財務省は国を守ることよりも財政規律を守ることのほうが大事なのです。

だから「ナントカ計画で国を守るなどと言うな。プライマリー・バランス（PB＝基礎的財政収支）の規律を守ることだけがとにかく大事なのだ」と文句をつけられ、プライマリー・バランス規律確保が優先されて、骨抜きにされてしまったのです。

# 第五章　目に見える財務省の罪

## PB黒字化は日本だけ

**藤井**　財務省はあまりにプライマリー・バランス規律にとらわれています。一九九七（平成九）年の「赤字国債削減」目標の設定以来、リーマンショックやコロナショックなどで一時的に緊急的な対策がなされたことはありましたが、ずっと維持され続けています。四半世紀にわたって国債発行額は抑制され、その結果として日本だけが成長できずに、衰退化、貧困化の一途をたどってきました。

ちなみにプライマリー・バランスとは、政府の収入と支出の差額を言います。政府の収入の中心になるのが税金で、所得税や消費税がそれにあたります。政府の支出は、教育や社会保障、公共投資などに使われるお金で、借金返済や、金利の支払いなども含まれますが、計算上ではそれは除外されます。したがってプライマリー・バランスとは「政府活動に使うお金が税収などで賄えているかどうか」という尺度になるわけです。

二〇二二年度の日本のプライマリー・バランスは約二三・六兆円の赤字になっています。政府収入の方が支出よりも二三・六兆円小さくなっている、これが二〇二二年度の「プライマリー・バランス赤字（ＰＢ赤字）」の水準だということです。

ＰＢ赤字は、二〇二〇年に新型コロナウイルスの対策のために大きな財源出動が行われたために、八〇・四兆円にまで拡大しました。その後もコロナ対策のための政府支出が拡大し、翌年二〇二一年度のＰＢ赤字も三一・二兆円に達しました。このときに支出をまかなったのが、国債です。二〇二〇度は約一〇〇兆円を上回る国債を発行しました。

こうした借金が増え続けると、いずれ国は破綻してしまうのではないか、ということを声高に主張する人々が出てきます。財務省、ならびに、財務省から直接的にあるいは間接的な洗脳工作を受けている政治家やエコノミストや学者、コメンテーター、そして一般国民達です。そういう財政破綻を心配する世論を背景にして、政府は借金がこれ以上増えないようにしなければならない、だから、借金に歯止めをかける目標を導入しなければならない、ということになったわけです。それが、中央と地方の双方をあわせたＰＢ赤字、つまりは税収と支出の差額であるところの財政収支の赤字を全て解消して、黒字化する「財政規律目標」です。

財政破綻を煽る人々はこれまで、小渕総理や麻生総理、さらには安倍総理が一〇兆円程度の国債を発行する度に「財政破綻するぞ！」と煽り続け、それを上回る大規模補正予算を組むことを阻止し続けてきました。しかし、コロナのときには、一〇〇兆円規模の国債を発行したわけですが、財政破綻の兆しなど全く見られなかったのです。つまり、借金が増えすぎると財政破綻するぞという話は全部デマだったことが、奇しくもコロナのときにハッキリと分かってしまったのです。

だとすれば、政府はＰＢを黒字化する目標等に、合理性などなかったのだと反省し、撤廃するなり緩和するなりすれば良いのですが、岸田内閣では一切そういう議論はでていない。

そもそも、あまりに制約をかけすぎると、経済は激しく疲弊してしまうのです。だから、ＰＢ規律は無意味であるだけでなく、経済を疲弊させる極めて有害な悪しき存在なのです。事実、コロナに対する財政政策は、先進諸外国に比べて圧倒的に見劣りするものでした。一〇〇兆円規模の国債発行等、国際水準でみれば全くたいしたことのない額なのです。その結果、いまだに我々はコロナによって傷ついた経済から立ち直ってはいないのです。

**大石**　そうした規律にとらわれているのは日本だけです。国家の財政は、手段が節約しかない家計とは違います。経済成長なくして日本再生はないのです。

**藤井**　そうですね。世界でも長期にわたって国債発行額を削減し続けてきた国など、日本以外に一つもありません。

私は内閣参与になって、「プライマリー・バランス規律撤廃」の論陣を徹底的に張りました。また安倍総理にもレクチャーしてその重要性を理解してもらい、途中から安倍総理はプライマリー・バランスについて非常にネガティブな発言をするようになりました。

安倍総理は二〇一七年三月一日、参議院予算委員会でプライマリー・バランス規律について、こう答弁されています。

「来年の予算を半額にしますよといったら、プライマリー・バランスは黒字化します。しかし黒字化した瞬間に、日本経済は死んだような状況になって、その翌年から悲惨なことがおこっていくわけです。……プライマリー・バランスをいわば無理矢理、人工的にバランスさせても、これはまさに意味がない。先ほど申し上げましたように、支出を半減すれば一気に大不況になります。税収もどんどん減ってしまいますから、その翌年から経済は最悪になるわけです」

また高市早苗さんもこれに理解を示してくれました。高市さんは二〇二一年の総裁選のときの公約の「一丁目一番地」に、「プライマリー・バランス規律があるから、国家は脆弱で、成長もできないのだ」という趣旨を明確に書いています。そして「物価安定目標のインフレ率二%を達成するまで、国と地方の基礎的財政収支（プライマリー・バランス）をめぐる規律を凍結する」と宣言されました。

私が最も強く訴えたいのは、プライマリー・バランス規律を国家のために緩和しなければならないということです。

しかし、財務省や財務省に同調する勢力は、国が滅びようが、国民が貧困化しようが、そんなことは知ったことではありません。とにかくは財政規律を守ることしか考えていないのです。だから「国債を発行したら国は潰れる」の一点張りです。自分たちの主張を通すために、大学の先生や研究所の研究員たちをどんどん動員して、罵詈雑言を尽くしてこちらを攻めてきます。仮にこの主張を理解する官僚がいたとしても、彼らはすでに潰されてしまって、国はどんどん脆弱化しているのです。

**大石**　財務省は国債を「いわゆる国の借金」だと意味不明の解説をして、国民の理解を誤らせています。少し考えれば、対外関係を議論するならともかく、「国」という経済主体は存在しません。おまけに国債を「借金」だと認識して償還しているのは、世界では唯一日本だけです。

コロナ対策のために一〇〇兆円の国債を発行しました。しかし、民間から現金が消えたようなことはなく、その反対に二〇二二年の企業の内部留保は金融保険業を除いて、約五五五兆円に達しています。これは対前年比七・四％増で、一一年連続して過去最高なのです。

個人金融資産も二一九九兆円に増加しています。まさに国債発行による財政支出はその国債を「銀行が保有している分については信用創造を通じて預金が増加する」と日銀の副総裁が国会で答弁した通りの現象が生まれています。この重要事実もほとんどの国民は知らないでいるわけです。

二〇二二年五月末に、「プライマリーバランス黒字化を財政健全化の目標として採用している国はあるか」という質問趣意書が出たことがあります。そのとき政府が閣議を通して返してきた答えが、「政府として把握していない」というものでしたよ。

**藤井**　把握していないと言ったのですね⁉

**大石**　つまり「プライマリーバランス黒字化を財政健全化の目標として採用している国はない」と政府は答えたのです。にもかかわらず、日本だけはそれを絶対に固執するのだと言っているのです。

## 放ったらかしにされた緊急輸送道路

**大石**　年始に能登半島地震が起きて、いざというときのために緊急輸送道路を確保しなければいけないという議論が起きました。市町村道の橋が落下しないように手を入れたりしていますが、緊急輸送道路そのものの耐震基準を上げたのかというと、やっておりません。それこそプライマリー・バランスを優先した結果で、国が崩れている証左です。大きな地震があっても、この路線だけは確保できているという路線をつくっておくことがきわめて重要なはずです。

**藤井**　昨年、一昨年と、大学で地震の影響について実証分析を行いました。当然ながら道路が通っていれば、初年度の経済被害を軽減できます。しかも高速道路が通っていたら、復旧速度はものすごく速くなります。高速道路があるということが復旧の速度そのものを上げるのです。一本だけでもそれぞれの地域で死守する緊急輸送道路を確保することは、短期的に被害を最小化するばかりでなく、早期回復のためにも絶対に必要です。

**大石**　令和六年能登半島地震では国道8号（新潟県上越市）で大きな土砂崩れが起きて、幹線道路が閉鎖されました。あれは昔の北陸街道ですね。一部はロックシェッド（土砂崩れから道路を守るためのトンネルのような建造物）を設置している区間もあります。しかし、多くはのり面（造成した斜面）をつくって対策をとっている箇所が多く、ロックシェッドは全てに設けられているわけではありません。大きなのり面があるところには、きちんとロックシェッドも設置するように、緊急輸送道路の確保路線として位置づけておかなければいけません。

**藤井**　緊急輸送道路に関しては、地震でも破断しないようにすれば、減災効果はものすごく大きいということがシミュレーションでも明らかに示されている、ということは先にもお話ししましたが、残念ながら、今回の地震で新潟県の直江津などで破断しているところがけっこう多くあったのです。現時点の高規格道路でも、防災対策をさらに加速せねばならないと改めて感じました。

**大石**　高速道路が三路線三二区間で通行止めになってしまいました。

今回の地震は阪神淡路大震災とはまったく違って、人口がそれほど多くない地域で発生しました。半島の先端地域が被害を受けたために、復旧作業に大変、苦労しました。そうした意味でいろいろなことを教えられた気がします。

まず、道路がずたずたになりました。国土交通省では一九九六年頃から緊急輸送道路の整備という考え方に立って、緊急時でも交通を確保しておかなければならない路線を選び、逐次、指定してきました。現在ではその総延長は約一〇万キロになっています。これは道路法に基づいた道路の総延長が約一三〇万キロあるのに比べると、約一割ぐらいです。

しかしながら、緊急輸送道路を、他の道路とは異なった設計基準でつくるという考え方をしてきたかというと、残念ながらそうではありません。道路の上を横切っている市町村管理の陸橋が落下しないように支援したりはしていますが、設計震度を上げるとか、土砂の崩落が起きても交通が遮断されないように、のり面の切り方を工夫するというようなことは、やってこなかったのです。

今回、地域に欠かすことができない幹線道路、基幹道路を、緊急輸送道路の中でも極めて重要なものとして位置づけ、設計の考え方を変えるべきではないかというヒントが得られたと思います。

道路の構造物の点検は、二〇一二年一二月に山梨県・笹子トンネルの天井板の崩落事故で九人が亡くなったことを契機に、全管理者の橋梁と重要構造物を対象に行われました。橋梁は全国で約七二万三〇〇〇ありますが、その中で緊急に対応が必要なものが六六七あります。国やＮＥＸＣＯ（ネクスコ）が管理している橋梁は早急に対応ができているのですが、県や市町村管理の橋梁は遅れています。こうしたところについては、もっと国が支援する必要があるのではないかと改めて認識しました。市町村管理の橋梁は、日常の管理が十分ではなかったせいで、傷み具合が大きいのです。

緊急対策が必要だとされた橋梁六六七のうちの二六五カ所は老朽化対策が必要とされながら、対策がとられず、一年以上も通行止めが続いているとＮＨＫが報道しました。このすべてが市町村管理です。技術者がいない、予算がないといった理由でこういうことになっているのです。使えない道路が増えるということは、当然、地域の経済力が落ちるということです。したがってこれも支援していかなければなりません。

公共事業費が削られてきた結果、国全体でもそうですが、石川県だけを見ても県内の建設業者は二〇年間で二五・五％も減少しています。地元の建設業者は自衛隊とともに道路啓開などに当たっていただいていますが、地元建設業が頑張っているということが、あまり報道されないのは非常に残念です。自衛隊の支援活動はよく紹介されていますが、おそらく一番頑張っているのは、私は地元の建設業者ではないかと思います。つまり、土を取り除いたり、移動させたりして作業の中心になっているのは地元の人たちなのです。こういう人たちが、予算が減少していく中でも、企業を存続させて頑張っているわけですから、もっと応援してほしいという気がします。

## 八〇年前と変わらない劣悪な避難所

**大石**　能登半島地震でとても腹立たしく思ったのは、被災者の避難所の劣悪な状況ですよ。一月に地震が起きて、その後、長期にわたる避難所での雑魚寝状態が続き、プライバシーが確保されていません。国際赤十字は難民の避難所基準というものを定めていて、それをスフィア基準といいます。スフィアというのは「球体」つまり「地球のどこでも」という意味で、「地球のどこでもこの基準を満足した避難所を整備しましょう」という考え方です。国家にそれを整備する役割と責任があるわけですね。

この基準では、たとえば一人あたりのスペースは最低三・五平方メートル、畳二枚分を確保しなければならない。トイレも二〇人に一つずつ設置しなければなりません。もちろん男女別で、女性用は男性用の三倍が必要とされています。世帯ごとに十分、覆いのある生活空間を確保し、プライバシーを保たなければなりません。温度と換気に注意しなければならないという項目もあります。

しかし、これが今回の能登半島地震ではまるで満足に行われていません。東日本大震災でも、阪神淡路大震災でもそうでした。今回の地震が起きて、八〇年前の被災避難所の写真をたまたま見たのです。すると、今の避難所とまったく同じなのです。つまり八〇年間、日本の避難所は何も進歩していないということです。

たとえば段ボールベッド数千人分を、各地で備蓄しておく。いざというときには被災地に集結するといったことを、政府の責任としてやっておくのは自然災害大国として当然のことです。しかしながら、そのようなことが何も行われていません。

さらに腹立たしいのは、こうした状況に対して、「こんな避難所ではいけない」と声を上げた政治家がほとんどいないということです。国民の生命財産を守ることこそ政治ではないか、と思うのですが、放ったらかしにされています。本当にひどい状況です。

私は体育館を避難所とするのではなく、各地に避難所を整備して普段は体育館として利用するべきだと思います。しかし、それは時間的に間に合わないでしょうから、全国の体育館の大幅な改築をやるべきだと思います。たとえば医師が診療できるような部屋をいくつか設けておいたり、トイレを改造したり、段ボールベッドなどが保管できる場所をつくっておいたり、調理ができる施設を設けたりして、温かい食べ物を供給できるようにしておくのです。

通常の体育館であれば、そういうものは必要ありませんが、このように改築しておけば、いざというときに避難所として使えます。今回の地震を契機に、政府はまずこれに着手すべきだと思うのですが、そういうことを主張される人がほとんどいません。

私は日本の政治の問題は、派閥があるからだめなのではなく、政治家が国民の要望に応えようとしていない点だと思います。その点こそ問われなければならないのに、どこの派閥がなくなるとか、そのような話ばかりに終始しています。日本の政治の貧困を象徴していると思いますね。

**藤井**　避難所に関しては、私もまったく同感です。私は、国土強靱化を民間の側からサポートする組織として、レジリエンスジャパン推進協議会という組織を運営しており、大石先生にも理事で参画していただいていますが、この組織は政府の肝いりでつくられ、「ジャパン・レジリエンス・アワード」という表彰制度を設けて、毎年、強靱化を推進する技術に対して賞を授与しています。年間一〇〇件前後の応募がありますが、そこには避難所の人たちをサポートするいろいろな技術が提案されています。ところが今回の地震で、避難所にそうした技術が活用されているかというと、はなはだ疑問です。

たとえば水を現地で調達する技術や、健康状態をスマホのアプリでチェックする方法とか、段ボールの区切り板についても、ものすごく工夫を凝らしたものがあります。これに賞を授与して、政府に紹介しても、一部は採用されてはいるものの、抜本的な改善は行われていません。今、大石先生が指摘されたように、八〇年前の状況と多くの側面において全然変わっていないのが実情です。

## 救援救護より財政規律

**藤井**　今はいわば防災対策のデフレ状況だと言えると思います。

デフレは供給過多で需要過少の状態を指します。避難所でも同じように政府が需要をつくらないのです。避難所の支援に当たっては、民間や大学などの努力でいろいろな技術が開発され、提供されていますが、需要がなければ避難所に活用されません。

いくらアイデアがあっても、政府が活用しようとしないために、せっかくの技術が埋もれてしまっているのです。まさしく政府の怠慢と言うほかありません。

さらに、これはこれからさらに詳しく検証しなければならないことですが、能登地方では道路が十分に整備されていなかったために各所で寸断され、自衛隊が活動しづらい状況になりました。熊本地震のときには一〇日ほどで、二二万人の全自衛隊員のうち一万数千人が投入され、一日あたり最大で二万五〇〇〇人が投入されました。しかし、今回の地震では地震発生翌日に一〇〇〇人、三日に二〇〇〇人、四日に四六〇〇人と拡大したものの、二週間目で一日あたり最大の七〇〇〇人くらいが投入されました。道路が寸断されているほか、いろいろと現場の事情もあるのだろうと思いながら見ていたのですが、発生からひと月経った時点でも、自衛隊は一日に七〇〇〇人しか入っていないのです。

現場の詳細を聞かないと、その理由が何なのかわかりませんが、非常に苦しんでいる方々がいる中で、これは非常に疑問です。自衛隊を大量に投入するだけが政府の務めではないとはいえ、政府は本気になって救援に取り組もうとしているのか、疑われます。さまざまな技術を投入することもしていないし、人員の投入も必ずしも十分ではない。そうした中でボランティアの投入だけが進められている。それは大変けっこうなことですが、政府の対応がまったく不十分であることを痛感します。

財政についても問題があります。阪神淡路大震災、中越地震、東日本大震災、熊本地震のときは、地震発生後、政府はひと月からふた月の間で、一兆円から数兆円規模の補正予算を組みました。ところが能登半島地震では、現状では予備費の積み増しが行われているだけで、たとえば補正予算を一五カ月予算のようなかたちで組むといった対策が行われていません。これは非常に問題だと思います。

予備費を被災地に使うことは閣議決定でできます。実際に発災以降、二度、三度にわたって数十億円、あるいは一〇〇〇億円と予備費から取り崩していく閣議決定が行われていますが、全部、小出しです。しかも予備費は被災地だけに使われるわけではない。政府の物価高対策の電気料金の補助金などにもガンガン使っている。これでは現場が十分に費用の制約を気にしないで、自由な救援救護や復旧復興事業ができるのかどうか、きわめて疑問です。なぜ予備費を使うのかが理解できません。

加えて予算に関しても、決めたことは二〇二四年度の予備費を倍増することだけです。「十分に地震対策に使っていい」というメッセージが被災地の現場の関係各位に対して発出されていません。まるで復旧復興、救援救護より、財政規律を守ることを優先するというメッセージを込めているかのようです。これに強く憤りを感じます。

最後に申し上げたいのは、道路が寸断したりして、大量の部隊が入れない事情はあったにせよ、もっとより多くのことができたのではないか検証する必要があるということです。政府から独立した第三者機関が、これをきちんと調べて、もし不十分だったのであれば、その教訓を次回の大きな災害に活かす必要があります。

巨大災害の強靱性の概念には、被害が起きたときにそれを最小化するだけではなくて、迅速な回復を行うことが含まれています。国土強靱化基本法の中でも、それを謳っています。強靱性を高めていくためにも、事後検証とリアルタイムでの検証を行い、批判的な目で監視しなければいけません。「これでは危ないぞ」と絶えず言い続けていくことが大切です。調べてみて「危なくない」ということであれば、それはそれで結構なわけですから。

この意味で、大石先生の「これはおかしいではないか」と言う政治家がいないということ自体が、迅速な回復を遅らせる脆弱性の一つだと思います。政府は反省すべきことが非常に多いと感じています。

**大石**　そうですね。感度が低すぎるというのか、まったく感じていないというか、そのような気がしますね。

今回の地震で、能登半島の道路が寸断されたことで輸送力が毀損したのを見たとき、ずいぶん昔に、朝日新聞の岡並木さんという交通の記事をよく書いていた方が、人間が生活していく上で基本的に重要なものは、衣食住のほかに交通だと言って、「衣食住交」を強調されていたことを思い出しました。なるほど、今回、地震が起こってみて、交通の重要性が衣と食と住に並ぶぐらい重要なのだということを私も改めて感じました。交通を専門にしていた人間としても、その視点の欠如を思い知らされた感じです。

# 第六章　棄民思想がはびこっている

## 地方を見捨てる空気

**大石**　能登半島地震ではもう一つ、非常に憤りを感じたことがあります。それは新潟県知事を務めた米山隆一さんがX（エックス）で、こう投稿したのですね。

「非常に言いづらい事ですが、今回の復興では、人口が減り、地震前から維持が困難になっていた集落では、復興ではなく移住を選択する事をきちんと組織的に行うべきだと思います。地震は、今後も起ります。現在の日本の人口動態で、その全てを旧に復する事は出来ません。現実を見据えた対応をと思います」（二〇二四年一月八日）と。

この人は、本当に過疎地を多く抱えている新潟県の知事をやっていたのだろうかと思うぐらい、ひどい発言だと感じました。

われわれは何をするにしても、誰一人として日本人を失うことがあってはなりません。それと同じで、寸土といえども毀損させていい地域があるはずはないのです。われわれは、いただいた日本の国土をそのまま次の世代に引き継いでいく責任があります。そこに人が住んでいなければ、国土は荒れていくしかないわけです。

**藤井**　本当にそう思います。政治家が地方に対して棄民の態度で臨むのは、日本国民全員をも棄民の対象にしていると言わざるを得ません。

東日本大震災のときも、実はそういう声を政府近辺で聞きました。主に経済官僚や財務官僚からそういう声が出ていました。霞が関、永田町ではずっと囁かれていた発言なのです。東日本大震災のとき、まったく米山さんと同じものの言い方が暴露されたニュースがありました。経産省の官僚が、自身のブログに「復興は不要だと正論を言わない政治家は死ねばいいのに」「もともとほぼ滅んでいた過疎地」「じじぃとばばぁが既得権益の漁業権をむさぼる」など暴言を書き込んでいたのです。これが発覚してこの官僚は懲戒処分を受けていますが、この事案は単なる氷山の一角であって、多かれ少なかれ、こうしたメンタリティは霞が関、永田町に潜在的に共有されてしまっていたのが当時の実態だったのです。

当時は官僚がそんなことを言っているという程度で留まっていましたが、今回は米山さんの発言のみならず、テレビのコメンテーターや、インターネットのインフルエンサーたちから、多少言い方は穏やかにはなってはいるものの、内容としては全く同じ趣旨の発言が多数出てきています。それが問題視される動きが見られません。「確かにそういう意見もあるな」と納得するようなことになっているのです。

つまりこの十数年の間に、日本の世論は「地方はもう放置していい」という空気の方向に、大きく進んでしまったわけです。僕は心底腹立たしいし恐ろしいし悲しいと思います。投入される自衛隊が少ないとか、予算が十分組まれないという実態を踏まえれば、こうした被災者を見捨ててもいいじゃないかという気分なりメンタリティなりが政府や岸田文雄内閣においても共有されてしまっていることを強烈に暗示しています。

実際に地震で、今まさに苦しんでいる避難民の人たちが数万人、数十万人といる状況が目の前で起きているというのに、そのような世論が支配していれば、これから襲来する災害に対して事前の対策を施さなければならないという議論はもっともっと小さくなるでしょう。

「明日はわが身なのだ」という思いは、阪神淡路大震災の頃はとても強くありました。東日本大震災の頃もそうでした。しかし、こういう精神的な紐帯《ちゅうたい》、国民意識が減退してしまえば、国土の強靱化などとてもできないと、大変に危惧します。

**大石**　人がそこに住んでいなければ、安全保障上も問題です。特に日本海側に住む人がいなくなれば、知らないうちにそこにハングルの旗が立ってしまいますよ。

**藤井**　北朝鮮の工作員はいつも日本への侵入を狙っているわけですから。実際に日本人が拉致をされ、いまだに取り戻せていない。

**大石**　寸土といえども、われわれの世代で荒廃させる自由などあるはずがありません。「あなたには能力がないから、日本人であることをやめなければなりませんよ」と言うことなど絶対にできないのと同じなのです。

どんな日本人でも、われわれは日本人として共同社会をつくっていかなければなりません。それは人類の成り立ち方なのです。駆けっこが速い人もおれば、遅い人もいる。駆けっこが遅いから「お前はこの世にいらない人間だ」などと言えません。今の日本人がそうした認識を持っていないことを、私は極めて恐ろしく思います。

## 一極集中のリスク

**藤井**　地方なんて無視しておけばいい、国土など別に放っておいてもいいという態度の政治家はあまりに不道徳であり、あまりにも下劣です。

今の話でもう一つ主張したいのは一極集中の弊害、すなわち地方の過疎化の弊害を彼らはあまりにも過小評価しているということです。

一極集中の弊害について、今年度の一回生を対象に、全学部向けのオープン講義を行ったときに私がまとめたものがありますので、ざっと紹介します。

まず一つ目は、当たり前のことですが、東京一極集中の状態で、東京で出生率が低下してしまうと、人口減少が急速に進んでしまうということです。

二つ目は、安全保障の問題です。そもそも一極集中によって首都直下地震、南海トラフ地震が発生すれば、被害が甚大なものになり、国家経済そのものが破綻する状態になる。そうなれば国家そのものを守れなくなってしまいます。そして、南海トラフ地震の三〇年以内発生確率は七〇〜八〇％、首都直下地震の三〇年以内発生確率は七〇％と推計されているわけで、起こる可能性は極めて高いということが科学的に明らかにされているわけです。

また、先ほど大石先生もご指摘になったように、地方部の人口がいなくなる状況を放置しておくことは安全保障の点から言っても問題です。島嶼部には隣国の侵略リスクが常にありますが、人が住んでいなければ実効支配をすぐに受けてしまうことにもなりかねません。さらには日本海側には原発が多数、存在していますが、東京一極集中によって原発の周囲に住む人が誰もいない状態になれば、他国の原発への工作リスクが高まってしまうという問題もあります。実際に北朝鮮との有事を想定した場合、北朝鮮は東京に爆弾を落とすというリスクが非常に高くなると同時に、工作員が日本海側の原発にテロを仕掛けるという分析が行われています。人が周辺に住んでいないだけで、軍事的リスクやテロリズムのリスクが高まるわけです。

三つ目が、「規模の不経済」が拡大することです。規模の不経済とは、たとえば都市の規模が巨大化し、過密が過剰に進行することで生ずる不経済問題です。通勤地獄や地価高騰などの問題に加えて、コミュニティが崩壊し、都市住民が社会的に孤立していくという問題も生じます。つまり、みんなが東京に住んでしまうことによって共同体が消滅し、規模の経済が逆に不経済になってしまうわけです。

**大石**　二〇二三（令和五）年の人口動向が今年一月に総務省から発表されましたが、それによると首都圏一都三県は一二万六五〇〇人の増です。東京都だけで六万八三〇〇人増えています。二三区だと五万三九〇〇人です。これほど増えている一方で、名古屋圏と近畿圏は人口が流出しています。相変わらず東京の一極集中が続いているわけです。先に、この危険性について述べましたが、それがさらに強くなっているのです。

もう一つ、これも先に述べたように、関東大震災のとき、東京に住んでいる外国人は非常に少なかったのですが、今はずいぶん増えているということへの懸念です。日本全体の在留外国人の数は二〇二三年六月時点で約三二二万四〇〇〇人です。その中で一番人口が多いのが中国人で、約七八万八〇〇〇人です。ご存じの通り、中国人は中国国籍を持っている限り、米国や日本との間で安全保障上の問題が起こった場合、中国の利益のために働かなければならないと法律で規定されています。したがって万が一、日中間で問題が起れば、七八万八〇〇〇人の人は法律上、中国側に立って行動せざるを得ない制約を背負っているのです。

**藤井**　つまり全員、工作員になり得るわけですね。

**大石**　そうです。東京で大地震が起きたときに、彼らがどういう行動を取るのか、われわれはよく考えておかなければなりません。

## 地方衰退と大衆化

**藤井**　さらに第四に、地方が衰退してしまうと、遊休資産が拡大してしまいます。つまり、地方には実に豊かな国土があり、農業や漁業、林業、エネルギー産業といった第一次産業についての膨大な「資産」があるのですが、東京一極集中が進むと、そうした資産が活用されずに放置されることになるのです。その結果、日本が本来保有できたはずの一次産業や資源・エネルギー産業などが衰退し、失われてしまうわけです。政府はこの遊休資産問題、第一次産業の衰退被害を、異様に過小評価してしまっています。第一次産業が衰退すれば必然的に自給率が下落し、外国への依存度があがり、日本人が生きていくために必要な食糧やエネルギーを定常的に輸入し続ける状況になってしまいます。それはすなわち、われわれの稼ぎが外国に大量に流出し続けていく事態を意味しますから、日本経済そのものがそれによって衰退する圧力を受け続けることになるのです。

第五に、地方の人口が減れば、地方部における地域共同体が解体し、地域文化が喪失してしまいます。日本全国には、千年、二千年の時を経て醸成された実に豊かな文化的伝統的資産が存在しているわけですが、現代人が地方部において減っていけば、そうした文化的伝統的資産は瞬く間に消滅してしまうことになる。その文化的な損失は極めて巨大なものになります。

そして第六に、一極に集中して、みんなが東京に住んでしまうと、東京にはもともと豊かな共同体も存在せず、かつ、地方部の共同体も崩壊していきますから、必然的に、何の共同体にも所属しない国民が増えていきます。すると倫理道徳も含めて、社会規範が希薄になり、共同体意識がなくなって、精神的な下劣化、いわゆる大衆化が進んでいきます。いわば、これまで何度も指摘してきた「公徳」を持たず「公益」に配慮しない人々、「今だけ金だけ自分だけ」な人々が増えていくわけです。いわゆる昔からの地縁や血縁でつながった集団や共同体に住んでいる人間は、一定の道徳的精神性をもっていて、協力性が高い。しかし都会に行くとそれが低下して、地方でも人口が減ってしまうことによって共同体が少なくなり、道徳性の低下、倫理性の低下というものが起こってしまいます。

その結果、国家的な大衆化が進行し、政治的なポピュリズムが進行して、当然ながら民主制国家での政策合理性が下落します。そして、デフレから脱却できなくなり、必要なインフラ投資も行われず、軍事力や、防災力も下落します。もちろん外交力も下落し、巨大な国家的な損失が起きてしまうのです。

これは風が吹けば桶屋が儲かるというようないい加減なことを言っているのではありません。まさに今、申し上げたような事態が進行しているからこそ、東日本大震災からわずか一二、一三年の間に「地方など放っておいてもいいではないか」という趣旨の棄民の論調が出てきても、誰もなんとも言わないような状況になってしまったのです。国民的な大衆化が進行し、ポピュリズムが勃興し、倫理性、道徳性が下落した結果、日本という国家の、国益の、巨大な毀損につながっています。

僕は今、大学の講義の中で経済学だけではなかなか解き明かせない、こうした日本衰退のメカニズムを、経済学だけでなく、社会学、社会心理学、民俗学といった総合的な社会科学を駆使しながら、あの手この手を使って講述しているわけです。本当ならどこの大学でもこうした真実、実態を教えるべきだし、学生はこうしたことを真剣に学ぶべきだと思います。そしてそうした真実が理解できれば、一極集中や地方の過疎化を放置するということが、いかに危険であるかがいともたやすく理解できると思います。

## インフラが需要を起こす

**大石**　今、私たちの国のインフラ整備の論理に貫かれているのは、需要追随です。需要の多いところにインフラをつくることこそが正しくて、需要の少ないところにつくるのは間違いだという考え方があります。われわれはかつて年間九％という高度経済成長を何年も続けた結果、需要追随が正しい、混んでいる道路こそ困らないように対策をしなければいけないと、そればかりを優先してきました。だから、たとえば岩手県の三陸地方や、あるいは四国や北海道を日本の国土全体の中でどう位置づけるかという作業がずいぶんと後回しになってしまいました。

とにかく人口の多いところにどんどん道路をつくったり、河川でも一時期はやや小さい川を三面張りといって、堤防をコンクリートで固めたり、河川の河床までコンクリートで固めてしまうようなことが行われました。降った雨を住宅地に流さずに、一秒でも早く海に流せるのは、需要追随主義的に言えば、極めて合理的だったわけです。しかし、そうすることで環境が破壊され、そこに住んでいる人々の情緒さえも壊してしまいます。河川に住んでいる生物や、堤防がもっていた自然をどう位置づけるのか、すぐに反省させられました。

全般的に言うと、需要の追随はいまだに生きています。したがってわれわれのインフラの可否判断はいまだに、Ｂ／Ｃ（ビー・バイ・シー）になっています。Ｂ／Ｃは需要追随の反映でしかありません。

たとえばＥＣ（欧州共同体）がＥＵ（欧州連合）になるとき、これからインフラをどう考えていけばいいか、いろいろな分野の学者が参加して、侃々諤々《かんかんがくがく》の議論をしました。そのときに出てきた答えの一つが、ある場所に道路をつくる、港をつくる、橋を架ける、それがＥＵ全体の経済成長に役立つのかどうかをチェックしようということです。それから、それをつくることでＥＵ全体の環境改善に役立つのかどうかをチェックしようというのが一つ。もう一つは、これはわれわれではなかなか思いつかないのですが、ＥＵ住民の公平性の拡大につながるかどうか評価を行う、ということでした。この中には、われわれのような狭い範囲のＢ／Ｃという考え方は入っていないのです。

昨年の文化勲章を受章した作家の塩野七生さんが、「インフラというのは需要があるから整備するものではない、インフラを整備することで需要を起こすのだ。それこそがインフラの役割なのだ」という趣旨のことを述べておられました。確か『文藝春秋』の巻頭でそういうことを書かれていたのですが、「ああ、なるほどな」と思いましたね。これはＥＵの考え方に非常に近いものです。

たとえば今、ＥＵがＴＥＮ‐Ｔ（欧州横断輸送ネットワーク）というプロジェクトをいろいろ動かしています。イメージとしては、スカンジナビア半島からドイツに向かって道路で結ぶということです。これは国境をいくつも越えていきますから、さほど需要もない。今もそんなに需要は増えていません。

しかし、スカンジナビアとデンマークを通じてドイツと結ぶことがEU全体の経済力や競争力を向上させます。今は需要がなくても、まず先に橋を架けてトンネルをつくっておこうと、活発に動いているのです。世界最長の沈埋《ちんまい》トンネル（水底トンネルの一種）などもこの中に入っています。そうやってEU改善計画を進めているのです。

われわれがB／Cにこだわっている限り、こういう考えはなかなか生まれてきません。

**藤井**　そうですね。これを計画思想の点から申し上げますと、私が若い頃に学んできたのは調査を行い、それを分析して、需要がどうなるかを考え、その需要に合わせてインフラをつくっていくというものでした。まさに今、大石先生が需要追随型の計画論だと指摘されたことを学生のときに学んできたわけです。

しかし、いろいろと研究を進めていると、こんなことをやっていたら国が衰退してしまう、需要追随をやめるべきだと、若手研究者の頃に思い至ることとなりました。

需要というものの前提には、人々の現状の社会認識があります。たとえば「四国と大阪は非常に遠い」という認識が前提としてある。しかしその前提は変わります。たとえば、紀淡海峡に橋を一本架けることで、和歌山と徳島がわずか二〇分でつながり、新幹線を通せば大阪と徳島は四、五〇分でつながるのです。そうすると、われわれの認識や意識、心理学ではこれを全部含めて「態度」（アティテュード）といいますが、環境に対する態度・アティテュードそのものが変わるのです。

しかしわれわれは、「徳島は大阪からは遠くて、紀淡海峡の淡路島と和歌山の間にも橋は架かっていない」という前提だけで物事を考えます。その前提から出発すれば、結局「大阪を便利にする」「東京を便利にする」だけになって、四国は不便なまま置いておけばいいということになっていく。その意味で、需要追従の背後にある人々の意識や態度を前提に、それを金科玉条として追従する計画を行っているのがわれわれの実情です。

# 第七章　国家の無気力

## 「男らしさ」を取り戻すべき

藤井　しかし、そんなことばかりやっていては、我々の国は二度と発展できなくなっていく。需要追従、さらに言うなら態度追従では、駄目な国は駄目な国のまま二度と蘇ることができなくなる。だからわれわれが変えるべきは、人々の「態度」なのです。大石先生がまさにご紹介頂いた、新しいインフラをつくりスカンジナビアとドイツをつないでみせることでまず第一に変えられるのは、人々の「態度」です。それまで考えもしなかったこういう可能性が、ＥＵにはあったんだと、そのインフラ投資を通して人々が皆認識するに至り、人々の「態度」が根底から変革するのです。スカンジナビアで生活をしながらドイツに通うこともできるのだと、人々の態度や意識を変えるような、「態度変容型の計画論」を行うべきなのです。

僕はもう二〇年以上、「モビリティマネジメント」という交通政策上の新しい考え方の提案や研究や実践、普及に努めてきましたが、これは、人々の交通行動を個人的にも社会的にも望ましい方向に変化することを促すために「コミュニケーション」を中心とした対策を展開していこうという考え方です。要するに、人々の「態度」を変容することを通して交通上のいろんな問題を漸次的、逐次的に改善していこうっていう考え方です。たとえば、社会全体に働きかけることでトラックから鉄道へのモーダルシフト（輸送手段の転換）を進めたり、この場所にはこうしたインフラが大事なのだと説明したりすることで合意形成を図り、自発的なインフラ投資を促したりという恰好で、人々の態度を変容させた上で、社会的な改善を果たそうとする計画論です。

ところが、これを学会で述べると、長い間、「おまえはファシストだ。人々の態度を洗脳するつもりなのか」と批判されてしまっていました。「土木の世界は、人々の態度を軸にして物事を考えなければならないのだ」と、すさまじい反発を受けました。土木学会だけでなく経済学者の間でも、この態度変容の議論は激しく反発されました。

ですがヨーロッパや豪州あたりでは、人々の態度を変えるような投資や計画論がどんどん進められています。人々の態度が変わることを通して、より幸福な生活の実現を具体的に進めています。われわれが目指すべきは、人々の態度に寄り添うことでではなくて、人々を幸せにすることです。女性的な原理、つまり、子供に寄り添う教育も大事ですが、「俺の背中についてこい」というような男性的な原理、父性というものも子供の教育には必要です。先進諸国ではそういった母性原理と父性原理、態度追従と態度変容というものを合わせながら幸福を目指す公共政策が展開されている。

ところが日本は父性的なものがすべて否定され、男らしさ的なものが拒否されて、挙げ句の果ては、ハラスメントと呼ばれるようになっています。このハラスメントの大流行を通して、ますます態度追従型の政策、計画論が横行してしまっています。

その結果、何が起こっているかというと、父性をなくした日本国家、あらゆるものがハラスメントと呼ばれる日本国家になってしまい、人々が不幸のどん底に沈んでいく悲しい状況が起こっているのです。

最近では、男らしさや女らしさを論じること自体、不適切だと言われます。敢えて申し上げますと、世の中を変えていくためには、そうした態度を改めないかぎり、日本の衰退は加速してしまいます。人々の態度を変えてみせる、需要を創出する、われわれの空間を変えてみせる、そのような、いわば「男らしさ」を取り戻すことが重要だと思います。

したがって、地方は衰退してもいいとか、東京に投資をして、このままビジネスを続けていけばいいというような態度追従型の都市構造、国土構造をつくり続ければ、日本国家は衰退し、国民はすべての地域において不幸になってしまいます。われわれは、世の中というものは変えられないものではなくて、変えられるのだということを前提として、より高い幸福を目指さなければなりません。

幸せになりたいと願う人間は、いろいろなものに働きかけてそれを変えていって、幸せになっています。重要なのはそれなのです。だからこそ一生懸命に受験勉強もするし、いろいろな努力をして、家を建てたり、お金を稼げるようになったりしているわけです。

「世の中は変えられるものなのだ」という認識に基づいて働きかける態度を、国家に対しても持たなければ、日本国家の滅亡は絶対に避けられないと思います。

**大石**　そうですね。「能登半島は人口が減っているのだから、もう見捨てよ」と言うのではなく、どうやって日本全体に貢献できる地域に変えていくかだと思います。そのために必要なインフラが何なのか、どういう組み立てをするかを考えなければなりません。

**藤井**　組み立てを行えば、アクション、選択肢、オプションを試すことができる政策空間が広がります。さまざまな制約や条件下で、最適解を見出す「非線形計画論」というものがありますが、その理論に基づけば、選択肢が拡充すれば、われわれがより高い幸福、より高いレベルを達成することができるようになる、というのは、数学的に自明なのです。われわれはオプションを広げるためにどのように能登半島が活用できるか、もっと考えるべきなのです。

## ドイツは空襲、日本は地震

**大石** 東京のような便利な場所には、いろいろなインフラが整備され、人材も豊富です。そこに企業が本社を置いて、経済が拡大していくのは当然のことだと思うのが、われわれの感覚です。

しかし、先に述べたように、ベルリンのドイツ全体に占める人口の割合はここ数十年、五%くらいで変わっていません。フランスのパリ都市圏(イル・ド・フランス)も総人口におけるシェアは一九%くらいにとどまっています。東京・首都圏は一九五〇年頃の総人口シェアは一五%ぐらいだったのが、今や三〇%にも上がっていて上昇し続けています。逆に地方の人口は減っています。それは、われわれが基本的に安全保障の概念を欠いているからです。人やモノが集まりすぎるというのは危ないのです。

なぜ、ドイツは都市への集中がないのか。彼らは空襲を想定しているからです。われわれは少なくとも地震があると考えなければいけません。つまり、ドイツでは空からの攻撃に備えなければいけませんが、日本は下からの攻撃に備えなければいけないのです。そのように考えると、集まりすぎることは危険だという結論になります。しかし一般の人は、日常生活が便利だからいいではないかと考えます。そのような考えになってしまうのは政治の責任だと思うのですね。

**藤井**　全国各地を寸土たりとも無駄にはしない、すべて活用するのだという態度は、欧米の高速道路のネットワークを見ると一目瞭然です。たとえば時速一〇〇キロで走ることができるネットワークをアメリカとドイツとイギリスと日本で並べてみると、イギリスやアメリカは全国各地に網の目のようにつくられています。ドイツに至っては言わずもがなで、非常に高い密度で高速道路がつくられています。

一方、日本はと言えば、日本海側には制限速度時速一〇〇キロの高速道路はほとんど存在しません。北海道の東側、九州の東側はまったくつくられておらず、四国においてもほとんどありません。能登半島も同じです。

つまり日本では東京や三大都市圏だけに道路建設への投資を行った結果、一極集中が起きてしまい、地方部は能登半島をはじめとして凄まじい疲弊に見舞われるに至ったわけです。ところが、全国各地に道路をつくっているアメリカやドイツやイギリスでは、首都圏への一極集中は起きていません。こうした国土に対する思想や考え方の違いが、戦後の投資水準に明確に表れています。その結果が、今の能登半島地震の犠牲者なのだという認識を持たなければならないのです。そもそも道路がないからこそ避難も復旧も復興も十分にできない。しかも、経済が疲弊しているから耐震化も進まず、高齢化が激しく進み、結果、被害が激甚化してしまったのです。

もう一つ、イギリスやアメリカ、ドイツでも半島の先までしっかりと高速道路をつくっています。ところが日本は紀伊半島ですら片側一車線しかなく、能登半島に至ってはまったくありません。専門家はアクセシビリティという「その地域へのアクセスのしやすさ」を表す概念を使いますが、同じ道路整備を行ったとしても、半島は一方からしかアクセスができないため、元来、アクセシビリティが非常に低くなってしまう地域なのです。そこに道路が整備されていなければ、アクセシビリティは恐ろしく低いレベルになってしまいます。

だから半島においてはせめて道路だけは他の地域と同じ程度に整備しておくというのが、政府としての最低限の務めです。日本政府はそれをまったくやってこなかったという事実が、このネットワークには如実に表れています。

**大石**　紀伊半島には信号のない自動車専用の道路（高規格道路）の計画があり、事業を進めていますが、いまだに周回道路になっていません。房総半島に至っては計画すら存在しません。東京湾側からの道路を房総半島の先端まで延ばすという計画はあります。しかし、半島の反対側の鴨川市までぐるりと回す計画は構想すらないのです。道路は環状道路にして初めて大きな意義があります。

東京湾岸道路はアクアラインまでは環状になっていますが、三浦半島の先と房総半島の先を結んで環状にしておく必要があります。かつて、この構想はあったのですが、今はストップしています。

世界を見渡してみると、このような大規模なプロジェクトは各地でけっこう動いているのですけれどもね。

## 三〇年間投資をしなかったツケ

**藤井**　日本は戦後から九〇年代中盤まで経済成長を遂げていました。なぜ経済成長できたかというと、インフラの整備が全国で進んでいたからです。そもそもインフラというものは成長にあたって何よりも大切な必須の条件なのです。なんと言ってもインフラは社会を支える社会の基盤だからです。

一九五〇（昭和二五）年から一九九〇年代中盤にかけて、日本は東名高速道路や名神高速道路、東海道新幹線をつくるなど、それなりに頑張っていました。

しかし、一九九〇年頃から全国の国土計画がなくなり、一九九五年からの財政危機宣言によって国債発行や投資の縮小が求められるようになりました。それ以降、世界の先進国、G7の中で唯一、成長が止まった国となってしまいました。財政支出を惜しんで必要なインフラ投資も行わない。内需も拡大しないために、民間も設備投資を大幅に減少させてきました。デフレ経済のまま三〇年もの時間が経ってしまいました。その間に、いかんともし難いインフラ格差ができてしまい、日本の国際的な地位凋落や、経済縮小を招いてしまったのです。

三〇年間投資を十分にしてこなかったツケが、極めて巨大に、これからの日本にのしかかってくるだろうと危惧しています。

**大石**　そうですね。それを具体的な発言やデータで付け加えますと、アメリカのバイデン大統領が、ロシアによるウクライナ侵攻が始まって間もない二〇二二年三月に一般教書演説を行い、インフラの必要性を訴えたことは前に述べました。

大統領が繰り返し、繰り返しインフラが必要だと訴えているそのアメリカが、日本で財政危機宣言が出された一九九五年以降、どれだけインフラ整備費を伸ばしてきたかというと、なんと二・四倍ですよ。ところが日本ではその期間、〇・六四倍に下がっているのです。二・四倍に上げた国の親分が「もっと拡充しないとアメリカは競争力を失うのだ」と言っているのに対し、〇・六四倍に下げた国では、有力な政治家が「このようなインフラでは経済成長できないし、国民を豊かにできない」と誰一人として言わない。これはいったいどういうことなのかと思います。

**藤井**　一般的なマーケットにおいて、IT企業や自動車企業、電機メーカーなど多くの企業は、「成長するためには投資をして生産性を拡大していく必要がある」ということを理解しています。たとえばアメリカのグーグル、アマゾン、旧フェイスブック（現メタ）、アップル、マイクロソフトといったGAFAMや、中国ではバイドゥ（百度）、アリババ（阿里巴巴集団）、テンセント（騰訊）、ファーウェイ（華為技術）といったBATHなど、勝利した企業は投資こそが大事だということをよく分かっていた企業です。そうした理解なくして世界的企業にまで成り上がることなど万が一にもできなかったのです。

そして、ヨーロッパ、中国、発展途上国も含めて成長を遂げている国々は民間企業のみならず、政府においても国家を一つの企業として見なし、投資をしなければ成長がないのだという認識を常識的に共有しています。それが、彼らの成長している根本的な理由です。

一方、日本では、政府における投資の必要性についての認識は極めて希薄であって、結果、十分な政府投資をしないから、どんどん衰退しています。それを多くの言論人や、マクロ経済学者も認識しなければいけません。しかしながら私自身も含めた力不足で、それが伝わっていないというのは誠に残念です。

**大石**　日本政府は投資を減らし続けてきましたが、これと同じ時期に、民間企業も設備投資を思い切り減らしてきています。

九州大学で勉強しておられる相川清さんという方がおられます。この方のレポートによると、一九九七年を一〇〇としたときに、資本金一〇億円以上の企業がどれだけ設備投資費用を伸ばしたかというと、二〇一七年値はなんと六四でした。先ほどの日本のインフラ投資と同じで、一としたときに〇・六四になるのです。

**藤井**　まったく同じですね。

**大石**　民間もまったく投資をしてこなかったから、国内で動くお金がなくなり、物が動かなくなりました。デフレが進むのは当たり前なのです。では、その間に利益はあげてこなかったのかというと、決してそのようなことはなく、少しは増えてきています。一九九七年と比べたときに何が一番増えたのかというと、配当金です。配当金が五・七倍に増えているのです。

設備投資は六四に下げたのに、配当金だけは上がっているということです。しかし、政府のほうもインフラ投資を全然やっていないわけですから、国内で物が動くわけがありません。

## 政治の意志がない

**藤井**　マクロ経済的に考えると、需要と供給のバランスにおいて需要過少で、投資が冷え込んでいくと、ＧＤＰが縮小します。投資を控えたために消費がなくなり、需要が少なくなってデフレに陥るというデフレスパイラルが繰り返されているわけです。

世界は時の流れのままにうつろうものだと考えるのではなく、態度変容型の計画論なり政策論を持って、未来に向けて投資をして、「このような国家をつくっていくのだ」という強い意志を政府は見せなければいけない。世界中の各国が投資を拡大して国民を引っ張っているのに、日本だけはデフレのスパイラルの波の中に漂い、無為無策をずっと続けてきました。

政治が意志を喪失してしまい、情けないことをきわまりない国家の末路が、今の日本の姿だと思います。強い意志を持って、絶対にサバイブするのだという気概を国家が持ちさえすれば、日本はいくらでも成長できます。それをなくしてしまったということは、もはや政治の蒸発だと言い換えることができます。

**大石**　彼らはこの単純な話がわからないのです。私のような一民間人から言わせますと、経済学者がおかしいと思うのです。

先日、読売新聞で東京大学の経済学の渡辺努教授（東京大学大学院経済学研究科教授）が「日本でデフレが長く続いた要因は」という質問に対して、「95年頃は中国に製造業が根付きつつあった時期で、『日本の企業が中国の安い賃金に負けてしまう』と考えられていました。労働組合も日本企業が海外と戦えないようでは困ります。結果として『賃上げはしない』という合意が生まれたのだと思います」（二〇二四年一月一三日）と答えていました。こういうことを平然と言う学者が東京大学の経済の教授なのだから、まさしく悲劇だとひと言で言ってもいいと思います。本当にひどい話です。

**藤井**　それはひどいですね……。デフレが続くから収益が拡大せず、その「帰結として」賃上げできなかったという当たり前の因果プロセスが理解できていないわけですね……。しかも、そのデフレっていうのは当たり前ですが需要不足で生ずるわけですから、賃上げできてないのは、需要不足が原因だっていう当然の論理も、そして、その需要不足は政府の支出拡大で解消できるっていう教科書レベルの当然の話も理解してるとは思えないご発言ですね。しかもしかも、彼の言う通り「企業の合意」だけで賃金が変わるならいつ何時もどこの国でも企業は賃下げしようとし続けてるのですからどこの国でも賃上げなんて起きない、ってことになる、ってことも理解していない。しかもしかも……仮に「企業の合意」が存在するとしても、それが中国との関係だけで成立するなんてことは万に一つもあり得ない。そんなもの、多様な要因の小さな一個に過ぎないっていう大局観もない。こりゃもう、ウチの研究室の学部学生の中でも特にレベルの低い学生水準、あるいはそれ以下の水準です。これが東京大学の教授だなんて、メチャクチャとしか言いようがない。東大の学生が心底可哀想ですね……。

この状況はたとえば、ギリシャ哲学を引用しながら解説すると、次のように言うことができるのではないかと思います。まず、二五〇〇年前、哲学者のプラトンは対話篇『国家』という本の中で、人間が正しく生きるにはどうすればいいのかを考えています。そして、人間より大きいもの、国家を哲学的に議論することで、人間というものがよりクッキリと見えてくるのではないかということを述べています。つまり、一人の人間の人格と一つの巨大な国家のあり方というのはパラレル（並列）であり、相似形をなしていると言っています。そして、自分は人間の謎を解きたいがゆえに、大きな拡大鏡で見られる国家というものを分析するのだと宣言して政治を論じています。

この人格と国家というのは同じであるという考えは、「国家有機体説」と言われ、この学説が社会有機体説の源流になっています。プラトンの時代からすでにあったわけです。

私もこれにまったく同感です。今の日本国家のありようを一人の人間の人格だと考えると、「おまえはもう死ぬぞ」と言われても「ああ、そうですか」と言って、何ら抗おうとしていない「馬」と「鹿」と取り違えるような錯乱状態にあるようなもの。

生命というものは本来、環境が要求してくるエントロピー（乱雑さ＝無秩序さ）の拡大というものによってもたらされる絶えざる衰弱・破壊圧力（すなわち、あらゆるものを無秩序化しようとする自然の圧力）に抗って、エントロピーを縮小せんとする（つまり秩序を維持し続けんとする）存在であるはずです。しかし、日本は環境が要求するエントロピーの拡大圧力のなすがままに、まるでボウフラのように、それを唯々諾々と受け入れて、何にもしようとしない状況にあります。

これは一人の人間として言えば、まさに死に至る病を患っているのと同じです。生命として生きようとする機能そのものをなくしてしまっているわけです。その結果として政治家は無為無策を貫き、経済学者も、まるで評論家のように「まあ、こういうことになっているのではないですか」と言ってのける。

別の言い方で言うなら、日本という国家を一人の精神だと見たときに、とてつもないうつ病を患っていて、生きる気力をなくしている状態とまるで同じです。「モノをつくったり、インフラをつくったりすることをやめましょう。投資はやめましょう。このまま、あるもので生きて行けばいいじゃないですか」という無気力な状況に置かれているのが、今の日本だと、解釈せざるを得ないですね……。

## マスコミと政治の共同正犯

**大石**　正月の読売新聞を見ていたら、藤井先生が森永卓郎さんの『ザイム真理教』（三五館シンシャ）を推薦している広告が二面に載っていました。隣の三面には社説があります。広告のちょうど向かい側に社説が載っているかたちなので、これは面白い対照だと思いました。

社説「日本経済再生　物価高克服する好循環なるか」（二〇二四年一月九日）は「財政再建は待ったなし」という見出しをつけた段落でこう主張していました。「国の借金の残高は１２００兆円を超え、国内総生産（ＧＤＰ）比で2倍以上と、先進国で最悪の水準にある。政府が財政再建の道筋を示し、国民の将来不安を和らげることも、経済再生のために不可避な課題だと認識すべきだ」

まるで藤井先生と逆の主張ですね。

**藤井**　その新聞社は、財務省を批判する本についての広告を載せるとひょっとして、財務省に何か意地悪をされるんじゃないかとびびってしまって、財務省に忖度し、財務省に「私達は決してあなたを批判してるわけじゃないんですよ」って「言い訳」をするために、財務省の言いなりの社説を書いたかのように見えますね（笑）。

**大石**　そうかもしれませんね。だからあわてて社説を対面に入れたのかな（笑）。

今、本書を読まれている方には、なぜわれわれが財政再建至上主義を捨てなければダメだと力説するのか、知ってほしいと思います。国民は一九九五年の「財政危機宣言」以降、どれだけ貧困になっていったか、どれだけ悲惨な状況になっていったか、ここに具体的なデータを挙げてみます。

まず世帯の所得平均です。「財政危機宣言」が出された一九九五年は六六〇万円でした。しかし二〇二〇年には五六四万円に落ちました。年収中央値、つまりこの値より多い人と少ない人が同じ人数であるという数字は、一九九四年には五〇五万円でしたが、二〇二二年には三七四万円で、一三〇万円もダウンしました。

世帯主の手取額、これは森永卓郎さんの計算ですけれども、一九八八年には三八四万円あったのが、二〇二二年には三六六万円です。減った理由は消費税や、社会保険料が引き上げられたりしたためです。

非正規雇用の全労働者に占める割合は一九九五年が二一%、二〇二〇年は三七%に上がっています。

二〇二二年度の調査では子供たちの不登校は小中学生二九万九〇〇〇人で一〇年連続増加し、過去最高を記録しました。小学生で一〇年前の五倍、中学生で一〇年前の二倍になっています。小中高の暴力行為の件数は九万五四〇〇件、過去最高です。国民負担率は一九九五年が三五・七％。二〇二一年は四八・一％。

日本人の自殺数は、二〇二二年が二万一八八一人で前年より八七四人の増加です。男性は一四七四六人で一三年ぶり増加、女性は七一三五人で三年連続増加。小中高の子供たちの自殺は五一四人で過去最高。G７の中で一五歳から四〇歳の死亡原因の第一位は、日本だけが自殺、他の国は全部、事故です。さらに自殺率が日本は飛び抜けて高く、一〇万人あたり一六・三人です。

さらに加えると、コロナ禍で大騒ぎになりましたが、人口一〇〇〇人当たりの医師の数は、欧米を中心に三八カ国の先進国が加盟する経済協力開発機構（ＯＥＣＤ）平均が二・五一人、日本は二・四三人。一〇万人あたりの集中治療室は日本は五・二床しかないのに対して、ドイツは三三・九床、アメリカは二五・八床です。

これらの事実は日本という国がすでに崩壊していて国民の貧困化が進んでいることを端的に表しています。しかし、それを直視し、改善していかなければならないはずの政治がまるで機能していない。国民を豊かにするために政治はあると、憲法には明確に書いてありますが、全然、豊かになっていません。つまり憲法違反の政治がずっと続いているということです。

さらには政治を批判的に見るべきマスメディアも、こうした事実を踏まえて、まともに問題にしたことがあるのかどうか疑問です。人々の貧困化はメディアと政治との共同正犯であると言えます。

日本の二〇二二年の自殺者数は翌年二〇二三年三月一四日に発表されました。ところがこの頃から始まった参議院の予算委員会でもまるで議論になりませんでした。それを見ても与野党ともに、国民生活の悲惨化に何の関心もないことを示しています。

さらに年明け以降は、株価が上昇しバブル期を上回りましたが、直近の国民の実質賃金は二五カ月連続という長きにわたって減少が続いており、困窮世帯が増加しています。

つまり政治はやるべきことをまったくやっておらず、完全に崩壊状態です。

**藤井**　まさに日本は死に至る病を深刻に患ってしまっています。絶望的とも言えますね。

**大石**　だから早くこの「財務真理教」から脱却して、やるべきことはやる、投資するものには投資をして国内で金を回すように切り替えなければダメです。

# 第八章　インフラは日本を変える

## インフラで街が活気づく

**藤井**　先にスカンジナビアとドイツとを結ぶインフラの話に関連して、物流が世の中を変える、そしてその物流を支えるインフラをつくることで人々の意識、すなわち、自分たちの国や地域や経済状況、ひいては政治に対する「態度」が変わっていくと申し上げました。日本も投資の水準は下がっているとはいえ、細々とは投資が行われていて、たとえば首都圏ではつくばエクスプレスが二〇〇五（平成一七）年に開通しました。それによって、つくば市と東京都が結ばれ、その間にある柏市や八潮市、つくばみらい市など、いろんな町がわずか一〇年足らずで驚くほどの勢いで発展しました。

インフラ投資がないときは、ほとんどこの地域の土地利用は行われていませんでした。しかし、鉄道が開通したことによって、たった一〇年の間に、柏の葉キャンパスや、つくばみらい市、八潮市など、駅前の周りに忽然と新しい都市空間が生まれたのです。それまで田園だったところに街ができると、住民も増えて産業も生まれます。

高速道路のインターチェンジの周辺でも同様です。たとえば東京外環自動車道が通って一〇年も経つと、それまで何もなかった場所に忽然と工業団地ができたり、中部地区ではアウトレットや、大きな温泉施設が建設されたりしました。京奈和自動車道が通った周辺でも土地開発が大きく進んでいます。このようにインフラができればその周辺は活性化し、実際に人々の暮らしが抜本的に変わっていくのです。

もう少し大きな都市間幹線交通でみると、北陸新幹線が開通したことによって金沢市には多くの投資が行われ、駅前が見違えるように発展しました。二〇二四年三月半ばに北陸新幹線が開通した福井市は、一〇年前には想像もできない大きな投資が進んでいます。福井駅前には外国資本ですが、大型ホテルのコートヤード・バイ・マリオット福井ができ、周辺に新しいビルが建設されています。インフラができることによって、福井市では恐竜の博物館をつくったり、官民を合わせた地方行政を活性化するプロジェクトが進んだりしています。

さらに富山市では、北陸新幹線に触発されるようにＬＲＴ（Light Rail Transit ＝ライト・レール・トランジット）の投資が進んでいて、街のかたちが大きく変わろうとしています。ＬＲＴとは、各種交通との連携や乗降の容易性に優れた次世代型路面電車システムです。日本は、国全体としては活性化することなく、衰退の方向に進んでいることは事実ですが、インフラ投資が成功した周辺では「生の活力」が活性化し、拡大していったのです。

私はインフラ投資を実現させることで、人々の意識を変えて、死に至る病を患っている日本人を治癒できるのではないかと考えています。仮に首相官邸や財務省といった国内のスーパーパワー達がインフラ投資について無頓着であり、むしろインフラ投資の流れを潰してやろうとしていたとしても、心ある方々がなんとか連携しながら、パルチザンによるゲリラ戦のようなかたちであったとしてもインフラ投資を少しずつでもそれぞれの地で進めていくことが、日本の再生に巨大なポジティブな効果を発揮すると確信しています。

たとえば私が最近、非常に大きな希望を見出すことができたのが、二〇二三年八月、宇都宮市にようやく開通したＬＲＴが大きな地域活性化効果を発揮している、という現実事例です。国土的レベルの投資からすればそれは決して巨大な投資だと言うわけではありませんが、都市内交通において最も有望なものがＬＲＴへの投資なのです。当方含めた実に多くの都市計画関係者が、何十年も前から日本でも行うべきだと繰り返し主張してきたものです。

富山市でもＬＲＴへの投資が行われてきましたが、二〇キロ規模の大きな投資は、わが国では一つもありませんでした。その間にヨーロッパでは何十という都市でＬＲ

Tの投資が進んでいました。ようやく、宇都宮市でもわれわれの仲間たちの努力によって、それが実現できたことで、JR宇都宮駅前が開発され、良好な都市空間が形成され、人々の暮らしがより幸福な方向に改善しました。実際、LRTに反対する人たちはたくさんいたのですが、今や反対派の人たちもLRTを利用し、この開通とともに整備された駅前空間で楽しく過ごしています。そうした市民の姿を見ると、これをなんとか全国各地でできないかと改めて感じざるを得ません。日本の国土から希望がすべて消え去ったわけではありません。希望の灯は残されていると思います。

**大石**　宇都宮市に開通したLRTは、画期的なことにすべてが新線なのです。もともと存在していた構造物の上に、LRTをつくったのではなくて、新たに線路を引いて、それが街づくりに成功をもたらしたというのは非常にうれしいことです。

私は宇都宮市にとてもゆかりがあります。JR宇都宮駅の東側は、かつては何にもありませんでした。それが今やものすごく活気があるのです。いろいろなものが立地して、全体の経済を潤しています。先ほどの藤井先生がお話しされた、つくばエクスプレスに関して言えば、流山市という出生率が高い町が出現したのも、この路線ができたからです。少子化防止に貢献してくれる町ができたことは大変うれしいと思います。これもインフラのお陰なのですね。

## 新幹線計画を動かした小里貞利

**藤井**　インフラこそが人々の態度、あるいは思想を変えて、うつ病にかかりつつある日本人に生きる気力を与えるものだと思います。それはいわば、平時における最終兵器なのではないかと、私は感じています。

**大石**　富山市の場合、森雅志さんという市長さんが先駆者でした。先駆的かつ冒険的にインフラ整備を進められたのです。国主導ではありません。森市長がやるというので、国土交通省都市局が全面的に協力をして、都市局のエース級を副市長に送り続けるサポートを行いました。国土交通省都市局の貢献はありましたが、官邸から政治的な指導があったわけではありません。

**藤井**　すべてゲリラ戦です。たとえば新幹線は、もともと田中角栄さんが全国新幹線整備計画というものを閣議決定して、北陸新幹線はそれに基づいて、一九七三年に正式に決定されました。しかし財源的な裏づけがないために、ずっと放置されていたのです。これが動き出したのは田中角栄さんの〝秘蔵っ子〟とも言われ、阪神淡路大震災で初代の復興対策担当大臣を務められた小里貞利さんです。

**大石**　そうです。

**藤井**　小里さんは鹿児島県の代議士でした。今は鹿児島にも新幹線が開通していますが、これを通すことは田中角栄さんがすでに決定していました。私は小里さんにインタビューしたことがあります。小里さんはなんとか鹿児島を活性化するために、博多から鹿児島まで新幹線を引きたいと考えていたのですが、鹿児島のことだけを言っていても物事は進まない。やはり北海道新幹線や北陸新幹線を整備し、それぞれの地域と連携しなければ前に進まないということで、鹿児島の新幹線だけではなく、全国の整備新幹線が進むように、自民党内で徹底的に活動を展開したのです。

しかし、当時の大蔵省は大反対でした。小里さんはこう話していました。

「昭和六二年でしたか〝三大バカ査定〟などと大蔵省の主計局の田谷廣明という一主計官が言うのです。新幹線と戦艦大和と青函トンネルはバカ査定だと。三大バカ査定と公然と言ったのですね。公共担当、新幹線を担当する主計官ですよ。

田中角栄さんの改造論には、彼なりの中央集権体制に対する反発と地方の活性化、これは非常に根強いものがありました。非常に地域が遅れている。これに何とかしなければならないという素晴らしい反骨心を持って、東京に出てこられた立志伝中の人でした。

そういう角栄さんの一つの根本が、新幹線や高速道路、農村広域農免道路、あるいは電話も電気もつくらせた。その辺の法律まで、非常に広範にかけて始まったと私は思います。

私は、昭和五四年に角栄さんに会いました。その前後、私は角栄派ではなかったけれども、お会いする機会がしばしばありました。彼の気迫、とくに地方の活性化にかける気迫には敬服していましたから、たまに目白の自宅にも遊びに行って議論したものです。そうすると、今申し上げるような一つの角栄さんなりの公共投資、財政運営、地方活性化等についての輪郭が見えてきました。

九州の新幹線についても話もしました。そのときは、折しも彼はロッキード事件でいろいろ気遣いの多いときでしたから、『しばらく待て。俺自体もこうだし』と言われたのですが、『中央、とくに大蔵省が全く新幹線なんて無視しとる』と言っていました」

詳しいことについては、『維新・改革の正体　日本をダメにした真犯人を捜せ』（産経新聞出版）という本に書いていますが、そうした一代議士の全国的な努力や、鹿児島県や北海道、北陸の人たちの努力によって、やっと予算を付けることができたわけです。「このようなものは全くの無駄だ」という財務省の反対をクリアして、ようやくこぎつけたのです。

## 政治家の決断

**藤井**　新幹線ができたことで、それならば何か地元でもやらなければならないという気運が盛り上がりました。たとえば、森さんという非常に有能な政治家、富山市長が、さまざまな事業を地域で展開し、ＬＲＴを引くということにつながりました。福井市でも小里さんの計画を進めていましたが、途中で「コンクリートから人へ」という旧民主党政権の政策により、計画が止められそうになりました。これは大変だ、私も政府に働きかけなければならない、と考えていたとき、当時の民主党政権の国土交通大臣が同じ奈良県出身の前田武志先生だったのです。

前田先生は京大土木の私の先輩でもありました。そこで、私が学生の頃から世話になっている教授だった足立紀尚先生と一緒に、「新幹線をなんとかしてください」と頼みにうかがいました。それが功を奏したというわけではないとは思いますが、前田先生は私たちの声を聞いてくださって、整備新幹線を進めるという政治決定をしていただきました。これにより福井まで新幹線をつなげる先鞭がつけられたのです。

その後、安倍晋三内閣はこれを引き継いで、整備新幹線を予算化し、アベノミクスの一環に位置づけました。福井まで新幹線をつくるのと同時に、北海道にも延伸する整備計画が進められたわけです。

しかし、新幹線整備計画が具体的に決まっているのはまだ一部にすぎません。北陸新幹線の敦賀以降をどうするのか、北海道新幹線が札幌市までつながれば旭川市までそれを延伸するのか、東九州新幹線や西九州新幹線、山陰地方を飛躍的に発展させる伯備新幹線や四国新幹線の整備はどうするのかという課題はたくさん残っています。山形新幹線のフル規格などにも取り組まなければなりません。

財務省が全力でこれらの計画を阻止する中で、いろいろな国会議員や知事、学者たちがチームを組み、さらには鉄道・新幹線整備の技術者達と協力して様々な技術的な問題を議論しながら、建設実現に向けて動いている状況です。大石先生や他の先生方にもご指導とご意見をいただきながら、どのように計画を進めるか構想を練っているところです。

**大石**　小里先生とは私が役人時代にいろいろとお付き合いさせていただきました。阪神淡路大震災の担当大臣を務められたときのこともよく覚えています。

小里先生は、政治家とは何をしなければならないのか、という自覚を明確に持っていた人でした。鹿児島県の出身ですが、鹿児島県には税制の分野を得意とする山中貞則先生がおられました。この先生は財務省が何を言いに来ても、意見が合わないものは突っぱねて、財務省の局長級を「おまえら、廊下で立っとれ」というぐらいの気迫と信念を持っていました。今の選挙制度のせいだとは言いませんが、昔のこういった政治家はほとんどいなくなりましたね。

前田武志先生についても、思い出があります。二〇〇九年に旧民主党政権で国土交通大臣に前原誠司さんが就任され、国土交通省での初省議に行く前に記者に取り囲まれたときのことです。前原さんは「八ッ場ダムはマニフェストに中止・廃止だと書いていますが、どうされるのですか」と記者に質問され「当然中止だ」と答えました。

まだ現地の人の声を聞く前に、勝手に大臣として言ったのです。これは大変に失礼なことです。それに対して、同じ民主党政権にいた前田先生が国土交通大臣になり、「やっぱり八ッ場はやらなければだめだ」と中止を解除してくれたことがありました。

そのお陰で、東京・利根川水系は二〇一九年の台風19号の襲来による洪水被害を免れたのです。台風が来たとき、ちょうど試験湛水が始まったばかりだったので、ダムには七〇〇〇万トンもの水を貯めることができたのです。試験湛水とは、堤体や取水放流設備などの安全性を検証するために試験的にダムに貯水を行うものですが、それを行っていたために東京は水害を防ぐことができました。つまり八ッ場ダムが実際に稼働していたから防ぐことができたのです。タイミングとしてはぎりぎりのところでした。

こうした土木の重要性を、もっと多くの方に知ってほしいと思います。

**藤井**　土木技術者は目立とうとする気持ちなど基本的に皆無ですから、誰も自慢などしないのですね。そのダムに自分の名前を書いたりもしません（笑）。少しは「これは自分がやったのだ」ということを言ったほうがいいのかもしれませんが、誰もそのようなことを言おうとしません。だから、その人が頑張ったお陰で、多くの犠牲を出さずに済んだのだということを、誰も知りません。土木に携わる人たちはそういうぎりぎりの仕事をやっています。それは事実上、戦争で戦っている気持ちとほぼ一緒だとすら言っても決して過言ではないと思います。

戦争と土木の違いは、個々のアクションの成果が目に見えるまでの時間の違いだけなんじゃないかと思います。土木は、その事業の決定についての行政的なハンコが押されてから結果が出るまでに三〇年、四〇年かかるのに対して、戦争はミサイル一発で、文字通り一瞬でその成果が目に見える恰好で出てくる。すなわち戦争のほうが、結果がわかりやすいのに対して、土木はわかりにくい。しかし、長期的な時間をかけながら、チームで思想や構想を実現するという点では、基本的にわれわれは戦争を戦っているのとなんら変わりないと思います。

## 都市計画と国土強靱化

**藤井**　宇都宮市のＬＲＴの成功は、非常に特殊な事例だと、少なくともこの平成・令和の御代においては言えるのではないかと思います。交通計画に携わる人々は、交通計画をめぐって全国や世界中の人たちと意見交換し、学会で議論しながらもっと生活が豊かになる都市空間は何かを追求してきました。

これまではモータリゼーションに重点を置いた自動車中心の街づくりでしたが、一九八〇年代後半から、高度な路面電車のＬＲＴを活用し、歩いて暮らせるような都市づくりを行うべきだとわれわれは主張してきました。最初はなかなか理解してもらえませんでしたが、自治体の首長や都市計画局の人たちと議論を続けて、ようやく目指そうとする街づくりの思想が少しずつではありますが浸透していったと言えるものと思います。

宇都宮市でもＬＲＴの話を聞いて、「確かにそれは市民を幸せにできる」と賛同してくれる佐藤栄一市長が出てきました。学者が主導して誕生した市長だと言えるのではないかとも思いますが、佐藤さんが市長に就任すると、調査が着手されて、計画が前に進み始めました。

選挙のたびにＬＲＴが争点になりましたが、ＬＲＴを推進する側が勝利し、展開が広がりました。ＬＲＴをずっとサポートしてきたコンサルタントや、役所でもＬＲＴを推進する部署に職員が二〇年もとどまるような異例の人事体制がとられ、国もプロジェクトを後押ししました。さらに学界からは宇都宮大学の都市工学の専門家であられた古池弘隆先生（現・宇都宮共和大学）が支援を行うといった取り組みが行われ、一つのチームとして思想を実現できました。

京都市にもそれと同じような事例があります。当時の門川大作市長は、歩いて暮らせる街づくりを打ち出していて、四条通の歩道拡幅整備や、京都駅八条口駅前広場の整備、パークアンドライドの通年実施などに取り組んでいます。われわれ京都大学のチームが先代の時代から議論を続けて打ち出した計画を、市長が公約に掲げて実現するというかたちです。つまり、われわれの思想や言論ベースで、都市計画が進んでいる自治体が実際にあるのです。

言うまでもありませんが、そういう仕事は様々な心ある人達がそれぞれに協力してつくりあげられた「チーム」で進めてきたものです。そのチームメンバーが同じ考えをもっていて、それこそ多くのプロジェクトで大石先生をはじめとした様々な重要な先生方を筆頭にして取り組んできたわけで、今日もなお、取り組んでいるわけです。

しかし、地方自治体では成功したとしても、さらに中央政府でそれを進めていかなければなりません。そのために提唱されているのが「国土強靱化」という思想です。

国土強靱化とは巨大災害に対する強靱性（レジリエンス）を確保することを促す取

り組みの総称です。都市や国家、組織が何らかの災害、破壊、アクシデントに見舞われたときに、①それによって致命傷を受けることを回避すると同時に、②その被害を最小化し、③被った被害から迅速に回復させる、という三つの要素から構成される能力のことを言います。その発生が高い確率で予想されている首都直下型地震や南海トラフ地震などの巨大災害を見据えて、それに対する強靱性を向上させる取り組みを指します。

公共事業を蛇蝎《だかつ》の如く嫌う人々の中には、国土強靱化は一部の御用学者が言っているだけなんだよ、っていう紋切り型のステレオタイプな認識をもっている人もいるのかもしれませんが、それは大きな間違い。国土強靱化は「チーム」全員で取り組んでいるもので、歩幅は必ずしも大きなものではないかもしれませんが、着々と前に進んで来ていることは間違いありません。私は、それぞれの地方のみんなが頑張っているだけで中央の財政当局を中心とした政府機構は一向に汗をかこうとしない、そんな中で、誰かが中央政府に打って出て学者としてしっかり国土計画を復活させるべきだという論陣を張るべきではないのか、という思いをずっと抱いていました。その考えは大石先生の代から私たちに引き継がれたものですし、これから私よりも若い後輩たちも引き継いでくれるだろうと思っています。

いろいろな業界で、いろいろなフィールドの人たちが同じ思想を持って、国土強靱化に取り組んでいます。ただし、インフラは下部構造として、世の中を変えるディープ・インパクトを与える力をもった分野です。社会の下部構造がわれわれを支えていなければ、快適な生活といった上部構造は築けません。日本の未来は、国土強靱化の成否にかかっています。その成否は、今の瞬間から、巨大災害が起きる瞬間までの間に、日本がどれだけ枢要なるクリティカルなインフラの構築に、すなわちいわゆる「土木」に対して注力できるかにあります。都市を変える、地域を変える、国家を変えるというわれわれの意識は他の業界よりもずっと強いと思っています。

**事務次官級に「理系」を増やすべき**

**大石**　今、藤井先生が仰ったことで補足をしますと、私は今、全日本建設技術協会（全建）の会長をやっております。人数が減少気味ですが、今も約六万の会員がいます。そこは国や地方公共団体の技術系の人間の集まりで、ＮＥＸＣＯの人や、水資源の人たちも参加しています。また、港湾や漁港を建設する人たちもメンバーにいます。

全建は、戦後すぐの一九四六年に発足したのですが、その背景には、全国における技術者や技術職員の地位を向上させようという盛り上がりがありました。

戦前の官僚は高等文官試験に合格して採用された文官（事務官）が各省を支配していました。技術系の役人も採用されてはいたのですが、幹部に登用されることは至難の業で、例外的に一部の人材だけが用いられることがあった程度でした。

戦後、建設省が発足するらしいという話を聞いた旧内務省の技術系職員たちの間で、建設省は技術を第一にした省にしてほしいという動きが活発になりました。というのも旧内務省時代は技術の人間が非常に蔑ろにされていて、高等文官試験を通った人間しか本省の課長にはなれず、技術者はいわば雇い人のような扱いだったからです。

現在の国土交通省は昔の内務省の後継にあたりますが、内務省時代には道路課長も河川課長も文官が長く占めており、技術者は「技術官」として、ひと括りに束ねられていました。地方自治体にも土木部長や県土整備部長がいますが、そのポストも技術の人間は就けませんでした。

戦争末期、技術系の人たちが、「われわれ技術屋の知見をもっと生かせるようにしてほしい」という運動を起こしました。そこでやっと高等文官たちから、「道路課長は河川課長よりも重要ではないから、道路課長は技術者がやってもよろしい」ということになったのです。

戦後、内務省が解体されて建設省ができたとき、道路の仕事や治水の仕事を担当する部局には、「その技術を学んできた技術系の者が就くべきだ」という大運動が起きました。その結果、初代事務次官に技官出身者が就任したり、事務次官相当職の技監や技官局長の誕生につながったりしました。

これが全建運動に拡大して、技術者たちが幹部のポジションに就く今日の姿が生まれたのです。そういう運動が盛り上がらなかったら、高等文官はポストを手放すことはなかったと思います。

**藤井**　技官が定期的に事務次官になったのは、建設省だけでしたね。

**大石**　たとえば同じようなポストで言えば、厚生労働省にも医務技監がいます。一応、扱いは事務次官級の扱いですが、彼らを事務次官にすることはありません。

他の省庁、たとえば経済産業省に事務次官相当職の技術職を置いて、ＩＴやその他、非常に幅広い技術分野の政策立案や政策指導を行えばよいと思います。農林水産省もそうです。

つまり、技術の人間、はっきり言えば数学や統計が理解できる人間がもっとあちこちに配置されているべきだと思うのです。新型コロナウイルスの感染が広がっていたときに、毎日、感染者（ＰＣＲ陽性者）の数字が発表されました。しかしこれは統計をまったく扱ったことのない人間が発表していたのが明らかです。だから、一人や二人、感染者数が増えることが本当に意味のあることなのかどうかわからないままに報道されていました。数字を受け取る側の新聞記者も、ほとんど統計の勉強などしたことがありません。私はそれが報道の歪みになっていたと思っていて、残念で仕方がないのですね。

## 比較衡量ができない文官行政

**藤井**　技術系の人が日本において蔑ろにされているということは、一般の方にとっては、少しわかりづらいかもしれません。技官と事務官の違いはどこにあるかと言うと、われわれ技術系は計量的にものを取り扱うことができるので、比較衡量が常に前提になっているということです。

たとえば新型コロナウイルス感染症が蔓延する中で、「自粛」するのがいいことだというのはわかります。確かに移動を制限すれば感染を抑えることができるでしょう。しかし、「自粛」しすぎれば経済が壊れることもわかります。技官の技術的な、あるいは計量的な観点を持つと、経済が大事なのか、感染を抑えることが大事なのか、二つに一つではなく、どれぐらいのバランスがいいのかという議論ができるのです。ところが、計量的視点がないと、バランスを取るという発想が全く無視されることとなり、徹底自粛か徹底緩和かといった極端な議論にならざるを得なくなる。

政治も同じで常にバランスをとらなければなりません。成長と環境、文化と効率性、いろいろな二律背反があります。その中で、事務官に任せていると、「比較衡量」でものを考えることができないために、こっちの思想をもったAという人が出てくれば、別の思想を持ったBが引っ込み、Bが出てきたらAが引っ込んでしまいます。したがって合理性のあるバランスのとれた政治運営ができないのです。

私はアメリカであれだけ高速道路を建設できるようなダイナミックなマクロ経済政策がとれるのは、「比較衡量」を前提とした計量的判断がプラグマティック（道具主義的）にできるからだと思います。アメリカに限らずヨーロッパでも、中国共産党においてすら極めて合理的な政策ができています。その政治目標が正しいかどうかはさておいて、ある目標の下でインフラ計画やコロナ計画が合理的、整合的に立てられているのです。

私は常々感じているのですが、政治においても、「比較衡量」する計量的かつプラグマティックな判断が重視されるべきだと思います。しかし諸外国にはそうした文化がある一方で、日本は依然として「竹槍精神」なのか「環境を守れ精神」なのかわからないですが、「定量的」な認識というものをまったくと言っていいほど欠いています。

そうした中で旧建設省、今の国土交通省は技官を事務次官に据える仕組みを持っているだけに、まだ相対的に比較衡量、計量分析、バランスをとる能力を他省庁よりも圧倒的に持っていると思います。逆に言えば、それ以外の官庁はそれができておらず、政治家に至っては、まったくと言っていいほどできていないということになります。

日本の中で誰が「比較衡量」し、バランスをとるのか。経済学者や政治学者も含めてそういう志向性、あるいは能力を持った方が殆ど見当たらない状況にあるわけで、その結果結局、土木などの技術系が致し方なく、「比較衡量」を基軸とした政策判断を担うしかなくなっているわけです。その意味で私自身、土木工学科の教授を務めながら、『表現者クライテリオン』の編集長として思想を展開しつつ、内閣官房参与というかたちでアベノミクスも含めた政策全体に関与しましたが、それは今日の日本の〝惨状〟を踏まえるのなら、そうせざるを得ないことなのだと諦観しています。そして場合によっては外交的な問題も含めた政策についてもサポートしていかないといけないのだと人知れず認識している、というのが実情です。理系的な技術、思想がこの国から蒸発してしまえば、この国はバランスのとれた政策はできないと私は懸念しております。

**大石**　言い方を換えれば、数字を取り扱える、数字が理解できる、統計がわかるということに尽きるような気がします。

**藤井**　数字や統計がわかれば、政府がとったコロナ対策がどれだけ不条理だったかが一目瞭然です。しかし、議論はまったく収束しませんでした。

**大石**　たとえば世界中の医学者の文献が、コロナ対策には換気が一番重要だといっていたときでも、日本はアクリルパネルを目の前に置いていて、空気を滞留させていたのです。それが一番危ないことなのにです。統計的にも説明できる話なのに、受け入れられないというわけですね。

**藤井**　同じようなことが、財務省でも起きています。財務官僚出身の数量政策学者、高橋洋一さんが現役時代に、政府の連結バランスシートをつくるべきだと主張されたのですが、全然受け入れられずに、完全にはじかれてしまいました。

高橋さんは数学を専攻し、それから経済学部を出て財務省に入った理系の人です。当時の財務省の官房長が、たまには変わった人間を採ろうという方針で高橋さんを採用したそうです。もし財務省が高橋さんのような考え方や感覚を受け入れていたら、今のように日本人が奈落の底に向かって走っていくような転落の仕方などしなかったと思います。

ところが、いまだに財務省の現役、ＯＢは蛇蝎の如く、高橋さんを嫌っています。高橋さんは、思想信条において当方と水と油のような部分ももちろんあるわけですが、理数系的な物事の把握や判断については、完全に軌を一にしていることが実に多いのです。だとすれば、少なくともその部分において議論し、よりよい政策方針を高橋さんと作り上げていくことは決して不可能ではないのです。ところが、今の財務省においてはそういう是々非々の議論展開というものができているようには到底思えない。こうした点に日本の問題が典型的に現れているような気がします。

真面目に政治あるいは行政を展開しようとすると、どこかの時点で比較衡量やバランスという議論が出てくるはずです。つまり統計、数字の重要性が浮上して、どこかの時点でそれが顧みられるはずなのです。ところがそれが顧みられないというのは、日本の国家の中枢が不真面目であるということです。

## インフラ投資の金の流れ

**藤井**　財務省がプライマリー・バランス規律しか考えないというのは、彼らに理系的な発想がないということです。それは国家の悲劇だと思います。

**大石**　具体的なインフラ投資の例で、お金の流れはどうなっているかを説明してみましょう。そうすれば分かってもらえると思います。

①国土交通省が、一〇〇億円のトンネルをつくることを計画し、甲建設という業者に発注することを決めたとします。そのためには財源が要りますから、それを建設国債でまかないます。

②建設国債をA銀行が引き受けたとすると、A銀行が日銀に預けている当座預金一〇〇億円が、政府の日銀当座預金に振り替わります。トラックで現金を運んでい

るわけではありません。

③国土交通省は、甲建設と一〇〇億円のトンネル建設工事契約を行い、トンネルが完成したので甲建設にお金を支払うことになりました。そこで国土交通省は甲建設に一〇〇億円の政府小切手を渡しました。甲建設はこれを自分の取引銀行であるB銀行に持ち込んで、政府からの取り立てを依頼します。

④一〇〇億円の政府小切手を受け取ったB銀行は、甲建設の口座に一〇〇億円と記帳しました。この瞬間に一〇〇億円の現金が甲建設に生まれました。甲建設はこれで資材を買えるし、労働者にお金を支払うことができます。

⑤一方、B銀行は一〇〇億円を政府から取り立てるように日銀に依頼します。頼まれた日銀は政府がもっている日銀当座預金一〇〇億円を、B銀行の日銀当座預金に振り替えます。

これが建設国債で一〇〇億円のトンネルをつくったということです。

では何が起こったかというと、銀行がもっている日銀当座預金はA銀行とB銀行とをあわせると、まったく変化がないのです。全然減っておりません。

一方、一〇〇億円のトンネル工事を行いましたので、間違いなく一〇〇億円の実需が発生しています。資材費や労務費が、いわゆるフロー効果となって日本経済を潤したわけです。

また、トンネルはできあがっていますから、危険な場所を通行することなく、峠を越えることができるようになりました。トンネルがあるかぎり、経済効率や交通の効率化、安全化という効果がこの国に生まれます。これにどこか悪いことがあるのかということですよ。

**藤井**　そうなのですね。日銀のバランスシートが悪化したとか、そういうことを言う人も出てくるのでしょうが、それが問題になるような法律を日本だけが独りよがりで勝手につくっているだけなのです。問題ではないのです。

**大石**　この流れだけから見ると何一つ問題がありません。

**藤井**　財務省はこういう発想ができないのです。

それをきちんと説明したのが、現代貨幣理論（ＭＭＴ）です。ＭＭＴは、自国通貨を発行できる政府は、財政赤字を拡大しても債務不履行になることはないと考える理論です。つまり、政府は借金をしても、自国通貨を発行することで支払いを行うことが可能だと考えます。財政赤字がインフレを引き起こさない範囲であれば、政府は支出を行うべきで、財政政策を活用することによって経済の活性化を促進することができるわけです。

財務省の財政規律は「総税収の収入」を基準として、政府支出の上限基準が設けられています。借金はゼロにしなければならない、という考え方です。しかし政府の場合、借金をゼロにすること自体に積極的な意味は何もない、と考えるのがＭＭＴです。ただしお金の供給量をどんどん拡大すれば、過剰インフレとなり、国民の不幸を招きます。ＭＭＴは何も「財政規律を撤廃せよ」と主張する不条理な理論ではありません。「財政規律をより国民の幸福につながるものにせよ」というものです。

そこでＭＭＴからは三つの主張を導き出すことができます。

一つ目は自国通貨建ての借金で破綻することなど考えられないのだから、借金したくないという思いだけにとらわれて、政府支出を抑制するのはナンセンスだということ。どの程度まで借金を抑えるかではなく、国民をどれだけ幸福にできるのかという「基準」を中心に据える態度が、財政政策には必要であるということです。

二つ目は経済成長が必要とされている場合は、政府が財政赤字を拡大することによって目的を達成することができる。つまり政府支出（財政赤字）の「下限基準」は、経済が停滞してしまう程度の政府支出量であるということ。

三つ目は政府支出を拡大し続ければ、過剰なインフレになるために、政府支出（財政赤字）の重大な「上限基準」の一つが、過剰インフレになってしまう程度の政府支出量であるということです。

しかし、ＭＭＴが話題になると、「財政赤字は関係ない。いくらでもお金を刷って財源にすればよい」とする乱暴理論だと世間一般では紹介されることがほとんどです。特に財務省はそんな曲解をした上でＭＭＴを蛇蝎の如く嫌っています。今のような話を理解しようとしないのか、あるいは自分たちにとって都合が悪いからあえて理解しようとしていないのか、あるいはその双方が入り交じっているのか、それは定かではありませんがとにかく彼らは、ＭＭＴを言う人間は全部、いかがわしいのだという印象操作を行っている、というのだけは事実です。

**大石**　そうですね。ＭＭＴは悪いと言っている人に対して、私は貨幣とはモノなのか、と言っています。旧来の経済学、つまり新自由主義経済学は、貨幣とはモノだ、物々交換から金貨、銀貨に変わるという世界です。経済評論家の三橋貴明さんがよく話している言い方をしますと、「彼らはプールに水が貯まっているようなものがお金だと思っている。しかし、そんなことはない、信用の証でしかないのだ」ということです。これは当たり前の話ですよ。そこを説明しても、彼らは敢えてわかろうとしません。

**藤井**　理由はさておき、とにかく彼らは理解しないのです。まことに残念です。

**大石**　その結果、道路でいえば、日本は自動車による移動時間や移動速度が諸外国に比べてはるかに低い状況になっています。国土交通省の数字でもこれが裏付けられています。日本国の都市間の移動速度は時速六二キロでしかないのに、ドイツは時速八四キロ、暫定二車線がなくなった韓国は時速七七キロです。

こういう劣悪な実態に加えてミッシングリンクだらけです。これを解消すれば二〇二四年問題も解消できるのに、そのような話にはまったくなりません。まるで不思議の国に生まれてきたとしか考えようがありませんね。

**藤井**　理系的に物事を考えるわれわれからすると、彼らのやることは本当に理解できません。意味不明です。われわれは、そんなにややこしいことを言っているわけではありませんよ。

**大石**　数学が理解できないとは言わないにしても、1+1は2だということだけわかってくれたらいいのです。

**藤井**　仰る通り、とても簡単な話なのです。

# 終章　リアリズムの崩壊

## タブーをつくるマスコミ

**大石**　今回の能登半島地震でもそうでしたが、太陽光発電のパネルが破損して、散乱しました。しかしマスコミではまったく報道されませんでした。これに触れることはまったくタブーになっているからです。

太陽光パネルというのはバラバラになっても太陽を受けている限りは、発電し続けています。したがってへたなさわり方をすると感電してしまいます。おまけに、パネルが壊れてしまうと、かなり有害な物質を地面にたれ流す危険があります。

同じようなことが、たとえば熊本の阿蘇山麓でも起きています。阿蘇の一帯は太陽光パネルだらけになっていて、完全に景観が破壊されています。太陽光パネルの下は裸地ですから、雨が降ったら土砂が流出します。日本のような風化岩で全土ができているような国では草や何かで覆っておかないと、直ちに土砂が流れ始めてしまいます。

ネットでも悲惨な状況の写真がよく出ているのですが、テレビで見ることはまずありません。新聞でも見ることがありません。すなわち環境に優しいエネルギーなどといいながら、景観を破壊して、地域を危険に曝しているのに、環境という美名のために実態をきちんと報じようとしないわけです。

マスメディアはジャニーズの性加害問題でも批判され、いろいろと反省を強いられています。しかし、その問題より、さらに深刻なのが、財政再建論に完全にマスメディアが毒されていることです。財政を再建しなければならないという刷り込みがマスメディアに対して続けられていて、ほとんどの新聞が政府の機関紙になってしまっています。それでは正しい理解が進みません。そうした一つ一つが、今の日本の民主主義の危機を生んでいると思います。

マスメディアの財務省への横並び的忖度が強すぎて、財務省の機関紙に成り下がっているのに、それに対する反省がないことが大きな問題の一つ。さらにもう一つが、われわれ日本人の意識の問題です。

## 「話し合い」と「民主主義」

**大石**　先にも申し上げましたが、日本人にはまず「公」がないのです。都市城壁をもたなかったがゆえに、日本人は「公」というものを意識せずに暮らすことができたからです。

都市というものは、西洋人にとって生命維持装置として機能してきました。あるいは機能させるために都市を形成してきました。彼らは、都市に固まって住むことを余儀なくされた民です。都市に固まって住むことを余儀なくされたが故に、狭い所に共同して住むルールというものを身につけたのです。だから全体の利益のためには、自らの利益を犠牲にしなければならないことを知っている。そこが、日本人が大きく欠けている点です。

「計画なきところに建築なし」ということを受け入れなければ、都市空間という狭い空間の中に大勢の人間が紛争もなく、長い時間を揉め事なく暮らすことはできません。

ところがわれわれ日本人が持っているのは「私空間」でしかありません。そうすると、異なる意見を持った人間を容認できないということになるのです。「民主主義」では、異なる意見を持つ人間がいることを前提にして、そうした存在を尊重しなければなりません。われわれは主権者が本来、持たなければならない政治との距離感覚を失ってしまっているのではないかと思います。

**藤井**　日本人は異なった意見を容認できない、という傾きを持っていますね……。

**大石**　昔の日本の集落のことを研究した民俗学者の宮本常一さんは、柳田國男さんのような学問的民俗学者ではなく、フィールドを重視して、村と村との間を歩き回った人です。その宮本常一さんがある集落で、彼自身が経験したことを次のような趣旨で書いています。

ある揉め事があったときに、集落の人間が全員集まってきて議論する。ものによっては短時間で意見の集約ができるが、場合によっては簡単に意見集約ができない。そうすると三日三晩連続してでも、話し合う。その間にはご飯を食べに家に帰る人間もいるが、また出てくる。そうやって、反対する人がいなくなるまで話し合う――。

これは異なった意見を持った人の存在を尊重するという西洋とは、全く違う世界ですよ。

かつて「イザヤ・ベンダサン」という名前で、評論家の山本七平さんが本を書いたときに、ユダヤ人というのは全員一致の決議は無効とするという考え方を持っていると指摘していました。山本さんが言ったことが本当に正しいかどうかはわかりませんが、彼はユダヤ人の研究家ですから、そう感じたところがあるのでしょう。

そうすると、私たちのように異論を完全に消し去るような、「私」の世界に閉じこもって「公」に責任感を欠いているのでは、欧米型の「民主主義」は存在しにくいのではないかという気がします。これはちょっと行き過ぎた言い方かもわかりませんけど。

**藤井**　私が若い頃に合意形成論を勉強しながら理想としていたのは、技術者がしっかりとした解を出して、皆にきちんと説明し、全員一致ではなくとも、概ね賛同が得られるように計画を立てるということでした。そしてかつての日本人はそれを実際に大切にしていたのだと思います。

そもそも、一般の人々に比較衡量や計量的な分析を行うのは難しい。だから、その部分については中央の優秀な、善意ある官僚や政治家が計算を行い、それを議論の出発点としながら、最終的な政策判断に至るまでの過程においていろいろな意見が出てくるのを期待し、それらに基づいてじっくりとたたき台の案を修正して、最終的な計画決定にこぎつける。これは現在、行われている国土交通省などのインフラの進め方における王道だと思います。これをさらに説得力ある格好で、コミュニケーション技術をしっかりと使いながらわかりやすく説明していけば、国民をさらにさらに幸せにすることができるようになると思います。

だから、われわれがきちんと計算をして、答えを導き出して、それを理解してもらいつつ、しっかりと人々の「声」に耳を傾け、必要な修正を加えて最終案を導き出す。

非常に旧態依然としたやり方ですが、私はこれまで合意形成論などの研究をやってきて、最も合理的な方法ではないかと考えています。

## 「ガイドライン万歳」の精神

**大石**　先ほど数学、統計の話をしました。これを同列でしゃべっていいのかどうかよくわからないですが、テレビは今、文字を表示することができて、耳の不自由な人もそれを見て楽しむことができるようになっています。

文字が入り始めたとき、いきなりアメリカは一三インチ以上のテレビの回路に文字放送を入れるように義務づけたのです。一方、日本では、経済産業省が業界に対して、文字放送ができる回路が入っているのが望ましいというガイドラインをつくりました。ガイドラインは、強制ではありませんから、なかなか普及しません。普及しないためテレビ局も文字放送をなかなかやろうとしない。だから非常に普及が遅れました。

この話は、AI規制の話に結びつきます。AIは非常に便利で、これからの世界を変えるほどの新しい発明だと思います。われわれも有効に利用すべきだと思いますが、EUは使用禁止を含む厳格なルールを定めるという方針を決めました。アメリカも法的拘束力のある規制を導入することにしました。ところが日本は事業者向けのガイドラインをつくると言ったのです。文字放送のときと同じ対応です。

しかし、ＡＩを事業者向けのガイドラインをつくる程度で規制できると思いますか？　日本はアメリカやヨーロッパとあまりにも違いすぎます。

**藤井**　ＡＩの規制や、文字放送の義務づけについては、アメリカ型は「こうすべきだ。例外は認めない」です。しかし、日本型は根本的な強制を避けながら「皆さん、自由にやってください」というやり方です。

アメリカは、インフラをつくるときでも強制的に行います。インフラのある社会は誰も拒否することができません。橋を架けて、トンネルを掘って、駅をつくるとなれば、そこにある田や畑などはつぶさなければいけないし、ダムをつくるのならば、その場所から立ち退かなくてはなりません。

日本は常に、「好きな人はダムのある世界に住んでもいいですが、嫌いな人はダムのない世界に住んでください、それは皆さんが決めてくださいね」というやり方です。しかしそれでは、ダムのある世界に住みたくないという人が一部にいる限り、ダムのある世界に住みたいという人々の声がかき消され、ダムのない世界に住みたいという人々の声だけが反映されてしまうことになる。なぜなら、現状はダムのない世界なのだから、ダムのある世界に住みたい人々も、現状のダムのない世界をある程度「是認」しているからです。だから、ダムをつくらなくても、ダムが要らない人はそれでハッピーなのは当然として、ダムを望む人々においても、現状を是認している以上、ダムのない世界を徹底的にリジェクト（否定）することができないわけです。だから結局、お上が方針を決めずにだらだら判断を一般の人々に任せっぱなしの日本では、インフラをつくるのは非常に複雑で難しくなるわけです。

**大石**　その通りですね。

**藤井**　一方で、コロナで「外に出るな」とすべて強制的に決めるような社会は、インフラを簡単につくれます。別の言い方をすると、人々の雰囲気やノリや空気よりもむしろ、定量的な比較衡量を行い、それで政策的意思決定を行う欧米では、インフラの有効性が定量的に示される限りにおいて容易にそれを作るという判断を行うことができる。しかし我が国日本では、定量的な判断は基本的に蔑ろにされる一方、空気や雰囲気だけに基づいて政策判断を下そうとする傾きが強く、インフラなんてほとんどできなくなってしまうわけです。どんなインフラだって、一部にそれに反対する人が存在するのですから。

日本はこうして合理的なインフラ整備ができなくなり、誰からも否定されない、反対されないしょぼいインフラしか整備しなくなるわけです。その結果、こんないい加減なやり方をずっと日本は続けてきたわけですから、そうなれば国は今日のように衰退するに決まっていたわけです。だから本来は、そのインフラ整備に合理性が定量的科学的に存在している可能性が十分に有る限りにおいて、政府はインフラ整備を一定程度「強制的」にやっていくべきなのです。そこに多少のハラスメントがあろうがなかろうが、国家公共のためになすべきことをやるべきなのです。無論、未来のことなど誰にも完璧に見通せない以上、問題が生ずることもあるでしょう。しかしだからといって「強制的」に進めていくことはやはりダメだ、ということには絶対にならない。生じてしまった問題に真摯に向き合い、その問題の克服を目指しながら、問題が生じてしまったという経験を踏まえてより精緻な判断を未来に向かって目指し続けていくしかない。そのようなやり方をしないと、日本は立ち行かなくなります。それが日本の弱点であり、克服せねばならない心理学的、あるいは場合によっては民俗学的傾向だと思います。

**大石**　日本のインフラ忌避傾向は、「ガイドライン万歳」というのと同じ土俵の上にあるということです。

**江戸時代ですらインフラ整備**

**藤井**　仰る通りですね。だから日本ではインフラはつくりにくい。それでも先人は頑張ってつくってきました。それをこれからもなんとかやっていかないと、日本に未来はないですね。

**大石**　江戸時代ですら相当なインフラ整備をやりました。全国レベルで物流システムが確立されたのは江戸時代でしたが、当時の物流は船を使った「舟運」です。そのために河川改修や廻船航路の開発がすすめられました。河口には船着き場や係留施設、貯蔵施設が整えられました。都市計画に沿った港湾施設が整備されたわけです。つまり江戸時代は物流ネットワークのために港湾、河川、都市計画などの土木事業が展開されました。

戦国時代では織田信長などが道路整備をしています。織田信長は桶狭間の戦い、姉川の戦い、長篠の戦い、甲州征伐を経て、天下統一への道を駆け上がって行きました。

そのためには兵力が必要で、その兵士たちを支える経済力が不可欠でした。その基盤の一つとなったのが、道路整備です。信長は道路を「経済活動を支えるための都市地域インフラ」と位置づけ、それを整備するという戦国時代には誰も考えつかなかった発想で、道路ネットワークをつくりあげました。

それ以前の大和朝廷の時代でも私たちは国土に働きかけて、国土から恵みをいただくための努力を続けてきています。特にこの時代を特徴づけるのがため池の造営です。灌漑が精力的に進められ、全国に水田が広がって行きました。水田耕作は日本の国力を五〇〇年間で七倍に高めたと考えられます。

特筆されるのは、明治時代の人間ですよ。明治の鉄道王と言われた鉄道官僚の井上勝という人がいますが、彼はヨーロッパで近代土木を学んで帰ってきて、技術者として東海道線や港湾を整備していきました。こうした人たちが日本にあれだけの鉄道を整備してくれたがゆえに、日本は国力を高めることができたのです。一八七〇（明治三）年から一八七四年の間の社会資本への投資シェアは河川整備が一四・四％、道路整備が八・六％であるのに対して、鉄道整備への投資は七七％に達しています。

明治政府の第一の目標は「富国強兵」にありました。このため戊辰戦争の対立を解消して国土を一体化し、国家を一つにまとめ上げる努力をしました。
明治の人たちは一八四〇年に起きたアヘン戦争で西欧列強に食い荒らされる中国を見て、その意を強くしました。列強の連中は何をしてくるかわからない、早く国力をつけなければならないという焦りがありました。その精神は、先の戦争に負けたあと、高度経済成長に向かうときぐらいまではあったのではないかという気がします。

**戦争を二回経験した政治家**

**藤井**　一九九〇年代から、「上意下達の方式ではダメだ、これからは合意形成の時代だ」と叫ばれ始めました。国土形成計画でも「新たな公」といった概念が出されて、民に寄り添うことが大切だと言われるようになりました。
けれども、残念ながらそれではインフラはつくれません。一部において反論が出ても、その反対論に対して公明正大に、お天道様に恥ずかしくない言葉できちんと説明できる限りにおいてつくっていくのだという強い意志を持たなければならない。繰り返しになりますがこれはなにも嫌がる人を無視すればいいと言っているのではありません。その人たちのために何ができるかを考えて、国民を本当に慮《おもんばか》る厳しい親のような態度が、インフラ整備には必要不可欠であるということです。しかし、なんでも言うことをきく優しいお父さんのような政治をやっている限り、インフラなんていうものは絶対につくれないでしょう。

昭和四〇年代に『黒部の太陽』という映画が大ヒットしました。今の時代では頭ごなしに拒否される「男らしい」「男くさい」やり方の美徳が大々的に描写されていた。しかし今日の風潮の中ではそうしたやり方はハラスメントだとか、そんな時代じゃないだとか言って、否定されてしまっている。ですが、そう言っている限り、日本にインフラはできず、未来はないということになるでしょうね。

やはり……究極的なことを申し上げるのなら、戦争に行った男たちが現実社会から姿を消してから、軟弱な日本になってしまったのではないかと思います。戦争を知らない子供たちが社会の中枢を担い始めたのが一九九五年あたりですが、ある種の大きな断層がそこにできました。大石先生がよく指摘される財政危機宣言が出された九五年と時代が重なります。

**大石**　田中角栄さんは「戦争を知らない政治家ばかりになったら、この国は大変なことになる」と言ったことがあります。歴代の総理大臣を見ていても、中曽根康弘さんは戦争に行っていますが、それ以降は戦争を知らない、経験していないという人ばかりです。そのときから日本は本当におかしくなった気がしますね。

**藤井**　政治評論家で、昨年、九〇歳で他界された森田実先生と対談したときに、なるほどと思ったのは、「吉田茂や石橋湛山といった政治家を取材して感じたのは、戦争を一回しか経験していないニューリーダーたちの世代になってから、日本の政治家たちが大きく劣化したことだ」と話しておられたことです。「第一次世界大戦と第二次世界大戦を大人のときに経験していた政治家たちは、それ以降の政治家たちとはスケールが全然違った」と言っておられました。

ですから、一回だけ戦争を経験した政治家よりも、二回経験した政治家のほうがもっとすごかった。一回しか戦争を経験したことのない政治家の世代になって日本は劣化した、というわけです。ですが、まったく経験のない世代に埋め尽くされた今の日本に比べると、かつての日本は少なくとも一回の戦争を経験した大人達がたくさんおられたわけですから、圧倒的に立派だったということなんだと思います。

**大石**　先ほど政治の話をしましたが、経済界でも同様です。昔は経団連のトップが「財界の総理」だと言われるような時代がありましたが、今やそういった力のある経営者はまったくいなくなりました。

『東洋経済』にコラムニストの福田恵介さんという人が、第一生命経済研究所の熊野英生・首席エコノミストの言葉を引いていました。

「昔の経営者には度量の大きな人物が多くいた。教養豊かな文化人で、博覧強記の人も珍しくなかった。人間的な魅力に溢れ、言葉に説得力があり、多くの社員に尊敬されていた」

これは熊野さんの著書（『なぜ日本の会社は生産性が低いのか？』文春新書、二〇一九年）から引いた言葉ですが、福田恵介さん自身もこのように述べています。

「この数年、経営者あるいは財界首脳から気の利いた話を聞いたことを思い出せない。経営者は『ステークホルダーにはきちんと目配りしています』と言うだろうが、実際に利益を生み出すべく働く社員に関する話を聞くことがほとんどない」「残念なのは、そんな経営者である彼らから『社員と向き合っている』姿勢がとうてい感じられないことだ。人間的魅力も言葉の説得力もなく、度量も教養もない。それが経営者か」と。

そこまで言っている。これとまったく同じことが政治家にも言えると思います。

**藤井**　そうですね。岸田文雄総理など、その典型です。

**大石**　今の経営者に、社員と向き合っている姿勢がまったく感じられないのと同じように、今の政治家には国民と向き合っている姿勢が到底感じられません。だから、ありとあらゆる世界で、人材が毀損していっている気がして仕方がないのです。

## リアリズムを取り戻せ

**藤井**　戦争をもう少し広い概念で言うと、なにがしかの意味での「戦い」がそこにあれば、人間は正気に立ち返るということです。戦争が最もわかりやすい例だと思います。

その点からすると、たとえば、東日本大震災の被災地の復旧、復興過程についての複数の研究報告からは、大震災を経験した小学生達は一般的な小学生達と比較して比べものにならないくらいに成熟した人格が形成されているという様子が様々に報告されています。会社経営においても、本当に会社がつぶれるかどうかという局面に立たされて、社員のために精一杯頑張った経営者達は、そうした経験を通してより成熟した人格が形成されていくという事例報告が経営学でも様々に報告されています。われわれ土木の人間についても自然災害と戦うという精神や、諸外国との発展競争で生き残りをかけて戦うという認識を携えることが推奨される技術者倫理が学会として制定されています。

しかし、今の日本において、そうした「戦う」精神はなくなってきています。リスクを賭けた戦いをするのではなくて、とにかく長いものに巻かれる日和見主義や、正論や正義を度外視してただただ既存の権威や数の力、金の力を振り回す蛮行があらゆる業界や領域において横行しているのが現実です。

たとえば論文の査読を匿名で行って、嫌いなやつには零点を付けて落とすというような、権謀術数、策謀主義が横行しています。それこそ財務省が仕組んでいることであり、岸田総理に象徴される自由民主党の多くの幹部たちがやっていることです。まさしく卑怯な戦いです。そんな振る舞いばかりを続けていれば、精神が腐敗していくことは避けられません。正々堂々とした何らかの意味における「戦い」に日常的にその身を投じ続けていない限り、「正気」を保ち続けることなどできないというように元来、我々の精神はできているのだと思います。

**大石**　日本はもう戦争を経験していない人間ばかりの国になったわけですが、絶望的かと言えば、それは絶対にないと私は思います。戦争というのは完全にリアリズムだけが支配する世界ですよ。機関銃が一〇挺あるのと一〇〇挺あるのとでは、一〇〇挺あるほうが勝つに決まっています。とてもわかりやすい世界です。それは要するにリアリズムです。

私は事実を踏まえた議論がこの国から消えていってしまっているというところに、根幹的な問題があるという気がします。こう申し上げたのは、たとえば地球温暖化の論議においても、日本が排出している二酸化炭素の量は中国の一〇分の一しかないということを、きちんとわかっている人がどれだけいるのかということです。中国が二酸化炭素を一割でも削減すれば、日本は何もしなくていいのです。そういうことを、きちんと踏まえて論議されていません。

私は岸田総理に対して、今後、日本の負担やマイナスになることだけはやらないでほしいという痛切な気持ちを持っています。岸田総理は「共生国家をつくるのだ」と言われました。ところが日本に一番多くいる外国人は中国人だけども、中国人というのは中国人という国籍をもつ限り、いざというときには日本に敵対することを誓わされている人々です。そういう人をどっさり入れていることが、果たしてこの国にとっていいことなのかどうか。それを「共生国家」というような小ぎれいな言葉で言ってほしくありません。

いろいろ適当なことを仰るのは、それはそれで政治的な意味があればいいのでしょうが、将来の日本が非常に困ることになるようなことだけは、絶対にやらないでほしいと思います。

# あとがき――大石久和

藤井聡先生との対談は、この国の各部が誤り続けてきた考えを大きく変えて、経済の成長と国民の福利の向上を中心に掲げた政治を取り戻す必要があることを、各種データを紹介しながら整理してきたものであった。

ところが、政治はその後もそれを反省するどころか、ほとんど意味のないパーティー券問題に圧倒的に時間を浪費し、さらに国民を危機にさらす政策や国民の貧困化をもたらす政策に精を出している。

たとえば、GDPは国民活動の総量であり、これが伸びないことには税収が増えたり、企業が成長することはないのだが、そのGDPはG7で唯一、実数的にもほとんど増加しておらず、一九九五（平成七）年には世界の一七・六％ものシェアを占めていた日本が、二〇二二年にはなんと四・二％に転落している。これでは国民生活も財政も改善されるはずもないのに、これが問題視されることがないという不思議の国に成り果てているのだ。

パーティー券の問題でいえば、外国人による購入に制限がかかっておらず、現に宏池会のパーティーでは中国人による大量購入があったのではないかとの疑惑が報道されている。日本政治への外国人の意思の侵入手段となる危険があることが最大の問題なのにこれはいま完全にスルーされている。

「後世に取り返しのつかなくなる失敗だけはやめてくれ」と叫びたいのが、二〇二四年六月一四日に成立した「出入国管理・難民認定法改正案」である。これは、人材確保、育成を目的とした育成就労制度を創設するもので、三年間で一定の技能水準に達すると、長期就労可能な特定技能と認定され、資格を得ると家族を帯同して永住の道が開けるというものである。この特定技能は今後五年間で八二万人も受け入れるというのだ。

これに対して岸田文雄首相は「いわゆる移民政策をとる考えはない」というが、では首相のいう移民政策とは何なのか。この改正案とどう異なるのか。国連の移民の定義にも簡単に言えば「一年以上の期間、外国に住む人」とあるように、これでも移民政策でないと言えるのか。

これにこだわるのは、宗教の違いがあるからなのだ。世界の中で唯一、日本人はほとんどが無宗教といってもいい状況にある。多くの日本人は仏教が何を説いているかもほとんど知らないし、その教えを日々の規範として意識している人など皆無といってもいい状況だ。

厳しい命令をする神を奉じ、その規範の中で暮らすことを誓い、神の命令となれば命も惜しまないとする世界とは無縁の世界にわれわれは二千年もの間この列島で暮らしてきたのだ。

徳川宗家の一八代であった徳川恒孝氏は、一神教について「単一で絶対的な力を持つ創造者をただ一人信じ、この教えをしっかり守ることで、人間は神の国へ行くことできるという宗教」と論じている。

また、さらに徳川恒孝氏は「一神教とは絶対的服従と信仰を求め、これを破ったもの、信じないものには厳しい罰を与える強い性格の神」を信仰するものであり、その神は「大変嫉妬深く、狭量である」とも述べている。外国人が定着するということは、こうした人びとが隣人になることなのだ。

旧約聖書は、殺戮に満ちた記述で埋め尽くされていると言ってもいいが、民数記にメディアン人への復讐という記述がある。彼らが「偶像を拝めとそそのかした罰」として、神はモーセに「メディアン人に復讐をしなさい」と命じ、その結果、「男子を皆殺しにし、家畜や財産、富のすべてを奪い取り、彼らの町々、村落や宿営地に火をつけて、ことごとく焼き払った」と旧約聖書は記録している。

こうした旧約聖書の物語はキリスト教圏の「共同体構成の証」として西欧のエリートに共有されており、懇親会の席などでは彼らの共有の物語として話題に用いられると言われるように、単なる過去の物語などではないのだ。

イスラム教の際だった特徴に、政教一体の宗教共同体の存在がある。厳しい砂漠気候のなかで、イスラムの人々はアッラーに絶対帰依する宗教として世界宗教の仲間となった。そして彼らは、イスラムのため異教徒との戦闘であるジハードの考えを獲得していったのだった。ここには厳しい宗教的排他性があり、断食月のラマダーンなど、われわれ日本人からは過酷としか思えない戒律を受け入れている。

こうした厳しい宗教が生まれたのは、信仰で団結せざるを得ない厳しい殺戮に満ちた歴史を繰り返し経験してきたからなのだ。つまり、それは途切れることなく続く武力による戦いの歴史がもたらしたもので、一致団結のための縛りのルールだったのだ。

大量の難民受け入れに人道的な好意から積極的であった西欧諸国は、現在、その対応に極めて苦労している様子が盛んに報じられている。パリの一部にはフランス人が立ち入れないエリアがあるとか、スウェーデンはレイプ大国になったとか、同じ強い宗教である一神教同士の世界なのに、この状況なのだ。

宗教はと聞かれると「無宗教です」とか「家の宗派も知らない」などとしか答えられないわれわれ日本人が、強烈な宗教的な仲間意識と団結意識をもつ人びとと共生社会を構成することができるなど、幻想に過ぎないに決まっているのだ。

是川夕氏（国立社会保障・人口問題研究所　国際関係部長）は、「外国人材定着　後押しを」と述べ、「住民とトラブルになる外国人の多くは安定した職を持てず、不安定な生活を強いられているケースが多い。そういった人が出ないよう気を配る必要がある。祭りで交流を深めるなど、地域の一員として受け入れることも大切だ」（読売新聞、二〇二四年五月一二日）と典型的「夢見る夢子さん」を語っている。

最近の政府の動きが、さらに問題だと考えるのは、この国は強権国家を目指しているのではないかと思える兆候が散見されることである。

①その一つはこの六月一四日に成立した「食料供給困難事態対策法」である。凶作や有事で食糧危機に陥ったとき、農家などに増産を指示するというものである。

コメや小麦などが大幅に不足する場合、政府は農家や販売者らに対して、生産計画の作成や提出を指示でき、従わない場合には罰則を科すというのだ。さらに深刻化した際には、政府は農家などに増産するように生産計画の変更を指示でき、従わない場合は氏名を公表する。

コメ作り農家が離農していくように農業を「生計が成り立たない産業」にして廃業を促進し、そして食糧の安全保障が危機になると「増産せよ。従わない場合は罰則だ」が通るのだろうか。多くの人が誤解しているが、日本の農業に対する政府支援は世界でも低い方なのだ。

②二〇二二年には閣議決定で、保健医療機関と保険薬局に対して、「オンラインによる資格確認の導入」が原則義務化された。これに違反すれば保健医療機関の取り消し事由になると説明した。

マイナンバーカードの保険証との一体化をやろうとしているのはG7でも日本だけというのだが、この国は大きなリスクを冒してまで一体何をしようとしているのだろう。なぜ、なんのためにマイナンバーカードの保険証化を強行しようとしているのだろう。

全国保険医団体連合会の調査では、二〇二三年三月廃業の医院は一一〇三カ所、保険証廃止までに廃業を決めている医院が約一〇〇〇カ所、こうなると無医村が増え、地域医療が崩壊する可能性があると警鐘を鳴らしている。

③定額減税の給与明細への明記義務化が関係省令の改正によって実施された。相当にしょぼい減税なのに、減税を国民に見せつけるという狙いしかないと断言できる暴挙だが、実務をになう企業や現場を持つ市町村は悲鳴を上げていた。とんでもなく事務が繁雑になるからだし、このためにシステム変更をすれば膨大な費用がかかる。

昨年になぜ一年限りの減税なのだと問われた岸田首相は「一年限りでの減税でも、もうこれ以上の減税は不要だと思われる経済状況を作り出す」との意味の発言をしたが、直近までのこの二年、国民の実質所得は減り続け、経済も成長せず、リーマンショック越えの不況だと言われる状況を作り出したのは誰なのか。

もうわれわれ日本人は気がつかなければならない。財政再建至上主義と大改革推進主義では、この国が直面する問題を何一つ解決できないことを、なんと三〇年間もひたすら貧困化しながらわれわれは学んできた（はずなのだ）。

藤井聡先生との最初の出会いは、まだ彼が東京工業大学の教授だった時代である。筆者はかねてから工学系の研究者の関心領域の狭さを問題だと考えていたのだが、彼と出会って衝撃を受けたのだった。とにかく思考や関心の対象範囲が広いのだ。

それもそのはずで、彼は京都大学卒業後にスウェーデンに留学し、なんとそこで心理学を学んできたというのだ。そして、心理学の教科書をまとめたことがあるというので、さらに驚いてしまった。

インフラ整備は広く国民一般から地域住民に至るまでの人々の支持を母体としているが、その支持は大衆心理と言うべき人々の気持ちや判断に依存する。工学部を出て心理学を学ぶ必要があると考えたという、まさに我が意を得たりの研究者に出会ったのである。

その後は先生の協力を得ることで、筆者の土木学会や各地、各方面での活動が可能となっており、いくら感謝しても足りないいくらいの支援を受けてきたのだった。

日本人の勤勉性、能力と感性などが世界の奇跡と言われた経済成長を成し遂げ、経済大国を作り上げてきた輝かしい実績がある。正しい政策によって、その地位に返り咲くことは不可能ではないのだ。財政再建至上主義と大改革推進主義を克服して日本人の原点に立ち戻ることで、明るい未来を切り開いていく責務を現世代は将来世代に対して負っている。日本人にはその力があるのだ。

筆者最後の著作となるだろう本書を、天涯孤独となる筆者を残して五〇歳で亡くなった母・大石ますゑの霊に捧げたい。

令和六年六月

大石久和

**大石久和**（おおいし・ひさかず）

1945年、兵庫県生まれ。1970年、京都大学大学院工学研究科修士課程修了。同年、建設省入省、建設省道路局長、国土交通省技監等を歴任。2004年退官後、国土技術研究センター理事長、土木学会会長（第105代）などを経て、全日本建設技術協会会長、国土学総合研究所所長（オリエンタルコンサルタンツ最高顧問）を兼務。専攻・国土学。

著書に『国土と日本人』(中公新書)、『築土構木の思想――土木で日本を建てなおす』(共著、晶文社)、『[新版] 国土が日本人の謎を解く』（産経新聞出版)、『歴史の謎はインフラで解ける 教養としての土木学』(藤井聡氏との共著、産経新聞出版)など。

**藤井聡**（ふじい・さとし）

1968年生まれ。京都大学大学院工学研究科教授（都市社会工学専攻）。京都大学工学部卒、同大学院修了後、同大学助教授、イエテボリ大学心理学科研究員、東京工業大学助教授、教授等を経て、2009年より現職。また、11年より京都大学レジリエンス実践ユニット長、12年より18年まで安倍内閣・内閣官房参与（防災減災ニューディール担当)、18年よりカールスタッド大学客員教授、ならびに『表現者クライテリオン』編集長。文部科学大臣表彰、日本学術振興会賞等、受賞多数。専門は公共政策論。

著書に『グローバリズム植民地 ニッポン - あなたの知らない「反成長」と「平和主義」の恐怖』（ワニブックスPLUS新書)、『令和版 公共事業が日本を救う「コロナ禍」を乗り越えるために』『令和版 プライマリー・バランス亡国論 PB規律「凍結」で、日本復活！』（育鵬社)、『ゼロコロナという病』（共著、産経新聞出版）など多数。

日本人は国土でできている

令和6年8月8日　第1刷発行

著　　者　大石久和　藤井聡
発 行 者　赤堀正卓
発 行 所　株式会社産経新聞出版
〒100-8077 東京都千代田区大手町 1-7-2
産経新聞社8階
電話　03-3242-9930　FAX　03-3243-0573
発　　売　日本工業新聞社　電話　03-3243-0571（書籍営業）
印刷・製本　株式会社シナノ


ISBN 978-4-8191-1438-7　　C0095